A CENTURY OF RUSSIAN PROSE AND VERSE

from Pushkin to Nabokov

Edited by

GLEB STRUVE

OLGA RAEVSKY HUGHES

ROBERT P. HUGHES

University of California, Berkeley

HARCOURT, BRACE & WORLD, INC.

New York · Chicago · San Francisco · Atlanta

Preface

THIS COLLECTION of Russian prose and verse intends to provide the intermediate student with material of true literary merit and, in doing so, to introduce him to a sufficiently varied yet representative number of Russian writers. It includes classical Russian literature of the nineteenth century, work from the age of Modernism at the beginning of the twentieth century, and literature of the early postrevolutionary period. In order to represent the two streams of Russian literature since the revolution of 1917, the book presents writers who lived and wrote in Russia as well as writers who lived or still live in exile.

Students familiar with the history of Russian literature will immediately notice the absence of a number of names they might have expected: there is no Turgenev, no Dostoyevsky, no Gorky, no Blok, no Pasternak. Such omissions were dictated by several reasons, among them space and pedagogical considerations, such as problems of language. The choice of this or that author or of this or that piece was governed by the desire in some cases to include writers less often represented in readers and anthologies and in other cases to present less-known pieces by well-known writers.

In addition to short stories the editors have included some poetry, which, if memorized, can be particularly helpful to the student in assimilating the wayward accentuation of Russian words. There are a few short lyrical poems by such well-known nineteenth-century poets as Lermontov, Tyutchev, and Aleksey Tolstoy; a delightful longer poem by Anna Akhmatova; and an amusing play in verse by her first husband, Nikolay Gumilev.

With the exception of an excerpt from Pushkin's account of his journey through the Caucasus to the

Turkish fortress of Erzerum, all the selections are given in their entirety without any alteration. A short preface to each work introduces the writer and his work in the context of Russian literature as a whole, in the hope that the student's interest in both classical and modern Russian literature may thereby be stimulated.

The selections in this anthology are presented in order of the years of the authors' birth, but they need not be read in this order. Those using the book on their own, for example, may prefer to postpone until the end the reading of Pushkin's **Путешéствие в Арзрýм** because of its archaic words and turns of speech, and Remizov's "Медвéдюшка" because of its colloquialisms. In class use the order of reading should be left to the discretion of the instructor.

The marginal glosses and footnotes that accompany each selection assume that the student has a general knowledge of Russian grammar and a basic first-year vocabulary. In the margins verbs (except participles, which are glossed contextually) are glossed as unmarked infinitives, nouns are glossed in the singular, and quotation marks indicate a specific contextual meaning other than the most usual one.

All the longer selections have been arbitrarily divided into units, each introduced by preparatory sentences (Подготóвка к чтéнию) that contain new vocabulary and constructions. The students are advised to study these sentences carefully before reading the selections, since glossing is not normally provided for this material. Questions for class discussion are given at the end of each prose selection and the longer poetic selections.

The editors wish to express their thanks to Zoya Pourtova, Tatiana Kusubova, and John Bullock for their assistance in the preparation of the manuscript and to Mrs. Laura Gould and Miss Regina Frey for the concordance programs they composed in preparing the vocabulary with the aid of an electronic digital computer at the University of California Computer Center at Berkeley.

G.S.

Berkeley, California

Оглавле́ние

АЛЕКСА́НДР СЕРГЕ́ЕВИЧ ПУ́ШКИН
(*1799–1837*)

For most Russians—whether they prefer Tolstoy to Dostoyevsky or vice versa, or do not care particularly for either of them—Pushkin is the fountainhead and epitome of modern Russian literature. If some nineteenth-century critics in their militant quest for "social utility" came to question the worth of Pushkin's "pure art" and some Soviet scholars in their Marxist zeal at one time even treated Pushkin as an exponent of the "class-conscious" art of the doomed Russian gentry, these aberrations are now things of the past, and Pushkin's place as the greatest of the great is once more firmly established in today's Russia.

Standing as it were at the very threshold of modern Russian literature, Pushkin is also its most versatile representative. It was not for nothing that a nineteenth-century Russian critic, himself a younger contemporary of Pushkin, described the latter as "our all" (на́ше всё). A great (and to many Russians still their greatest) lyrical poet, he also wrote in **Евге́ний Оне́гин** a unique novel in verse, in addition to producing masterpieces in such other literary genres as the narrative poem, drama, and prose fiction.

Most of Pushkin's short stories are either too long or have been too often anthologized, and this induced us to include in this volume an excerpt from his relatively little known **Путеше́ствие в Арзру́м**. This work was written in 1835 and published in 1836 in Pushkin's own **Совреме́нник** (*The Contemporary*). It was, however, based on travel notes kept in 1829 when Pushkin, goaded by restlessness—by an itch "for a change of place" (as he said of his hero Onegin in the last chapter of his novel in verse)—decided to visit the Caucasus. He had first been there nine years earlier, but this time he pushed his way as far as the General Headquarters of the successful Russian army, commanded by Count Paskevich, that had just wrested from the Turks the fortress of Erzerum. This, incidentally, was the one and only time when Pushkin went beyond the borders of the Russian state.

Speaking once of prose fiction, of which he had not then written any himself, Pushkin said that its prime requisites were "brevity, precision, and bare simplicity." These are the qualities that mark his own prose writings, be they novels, such as **Капита́нская до́чка**, or short stories, collected under the title **По́вести Бе́лкина**. The same is true of his "travelogue," in which, as D. S. Mirsky said, "he reached the limits of noble and bare terseness." V. Komarovich, a Russian scholar, detected also in Pushkin's **Путеше́ствие** some elements of a deliberate takeoff on Chateaubriand's *Itinéraire de Paris à Jérusalem et de Jérusalem à Paris* (1810).

The extracts presented here to the reader are taken from the first chapter, in which Pushkin describes his trip to Tiflis (now known under its Georgian name of Tbilisi), the capital of Georgia.

Подготóвка к чтéнию

1. Э́то случи́лось рóвно за дéвять лет до э́того путешéствия.

2. Мне стáло жаль их прéжнего ди́кого состоя́ния.

3. Скóро настáла ночь.

4. Мы дожидáлись недóлго и на другóй день бы́ли готóвы отпрáвиться в путь.

5. По сторонáм бежáли кóнские табуны́ и стадá волóв.

6. Всё э́то снача́ла мне óчень нрáвилось, но скóро надоéло.

7. Несно́сная жарá выводи́ла меня́ из терпéния.

8. Впереди́ возвышáлась леси́стая горá.

9. Я взобрáлся по лéстнице на площáдку.

10. На кирпичáх бы́ло нацарáпано нéсколько имён.

1. It happened exactly nine years before this journey.

2. I regretted (the loss of) their former wild state.

3. Soon night fell.

4. We did not have to wait long and the next day were ready to set out on our way.

5. Along the sides ran droves of horses and herds of oxen.

6. At first I liked all this very much, but soon I felt bored.

7. The unbearable heat taxed my patience.

8. Ahead rose a wooded mountain.

9. I climbed the stairs to the landing.

10. Several names were scratched on the bricks.

Путеше́ствие в Арзру́м

1

В Ста́врополе[1] уви́дел я на краю́ не́ба облака́, по-
рази́вшие мне взо́ры[2] ро́вно за де́вять лет. Они́
бы́ли всё° те же, всё на том же ме́сте. Это — снеж-
ные° верши́ны° Кавка́зской це́пи.°

Из Гео́ргиевска[3] я зае́хал на Горя́чие Во́ды.[4]
Здесь нашёл я большу́ю переме́ну: в моё вре́мя ва́н-
ны° находи́лись в лачу́жках,° на́скоро постро́енных.
Исто́чники,° бо́льшею ча́стию[5] в первобы́тном°
своём ви́де, би́ли,° дыми́лись° и стека́ли° с гор по
ра́зным направле́ниям, оставля́я по себе́[6] бе́лые и
краснова́тые° следы́.° Мы че́рпали° кипу́чую° во́ду
ко́вшиком из коры́[7] и́ли дном разби́той буты́лки.
Ны́нче° вы́строены великоле́пные ва́нны и дома́.
Бульва́р, обса́женный° ли́пками,° проведён по скло-
не́нию Машука́.[8] Везде́ чи́стенькие доро́жки, зелёные ла́вочки,° пра́вильные° цветники́,° мо́стики,
павильо́ны. Ключи́° обде́ланы,° вы́ложены° ка́мнем;

still

snowy summit range

bath hut
spring original
gush out steam flow down

reddish trace scoop up
    seething
nowadays

planted linden (*dim.*)

bench regular (in shape)
    flowerbed
spring set faced

1. Ста́врополь (*m.*), *founded in 1777 as a Russian fortress, was an important base for the subsequent Russian conquest of the Caucasus.
   The interested student is referred to the map and notes in Vladimir
   Nabokov's translation of Lermontov's* A Hero of Our Time (*New
   York: Doubleday Anchor Books, 1958*) *for a geographical and historical orientation in this region.*
2. порази́вшие... which struck my eyes
3. Гео́ргиевск, *a Russian fortress, was also established in 1777. Here,
   in 1783 the agreement was signed by which Georgia* (Гру́зия) *became
   subject to Russia.*
4. Горя́чие Во́ды   a mineral springs resort
5. бо́льшею ча́стию   for the most part
6. оставля́я   leaving behind (themselves)
7. ко́вшиком...   with a dipper made of bark
8. проведён...   is laid out along the slope of (Mount) Mashuk

на стена́х ванн приби́ты° предписа́ния° от поли́ции; везде́ поря́док, чистота́, краси́вость°...

Признаю́сь:° Кавка́зские во́ды представля́ют ны́не° бо́лее удо́бностей;[9] но мне бы́ло жаль их пре́жнего ди́кого состоя́ния; мне бы́ло жаль круты́х ка́менных тропи́нок,° куста́рников° и неогоро́женных° про́пастей,° над кото́рыми, быва́ло, я кара́бкался.° С гру́стью оста́вил я во́ды и отпра́вился обра́тно в Гео́ргиевск. Ско́ро наста́ла ночь. Чи́стое не́бо усе́ялось° миллио́нами звёзд. Я е́хал бе́регом° Подку́мка.[10] Здесь, быва́ло, си́живал[11] со мно́ю А. Рае́вский,[12] прислу́шиваясь к мело́дии вод. Велича́вый° Бешту́[13] черне́е и черне́е рисова́лся в отдале́нии,[14] окружённый гора́ми, свои́ми васса́лами, и наконе́ц исче́з во мра́ке...

На друго́й день мы отпра́вились да́лее и при́были в Екатериногра́д,[15] бы́вший не́когда наме́стническим° го́родом.°

С Екатериногра́да начина́ется вое́нная Грузи́нская доро́га;[16] почто́вый тракт прекраща́ется.[17] Нанима́ют лошаде́й до Владикавка́за.[18] Даётся° конво́й каза́чий и пехо́тный° и одна́ пу́шка.° Почта отправля́ется два ра́за в неде́лю, и прое́зжие° к ней присоединя́ются:° э́то называ́ется **ока́зией**.° Мы дожида́лись недо́лго. По́чта пришла́ на друго́й день, и на тре́тье у́тро в де́вять часо́в мы бы́ли гото́вы отпра́виться в путь. На сбо́рном° ме́сте соедини́лся

приби́ты° предписа́ния°	nailed regulation
краси́вость°	prettiness
Признаю́сь:°	admit
ны́не°	nowadays
тропи́нок,° куста́рников°	path shrubbery
неогоро́женных° про́пастей,°	not fenced off abyss
кара́бкался.°	clamber
усе́ялось° бе́регом°	be studded along the bank
Велича́вый°	majestic
наме́стническим° го́родом.°	viceregal "capital"
Даётся°	be provided
пехо́тный° пу́шка.°	infantry cannon
прое́зжие°	traveler
присоединя́ются:° ока́зией.°	join "protective detail" (military)
сбо́рном°	assembly

9. бо́лее удо́бностей (*arch.*) more amenities
10. Подку́мок, *with its source on the northern slopes of the Caucasus, flows through the Caucasian mineral waters region, including the towns of Kislovodsk, Essentuki, Pyatigorsk, and Georgievsk.*
11. быва́ло... used to sit
12. Алекса́ндр Рае́вский, *the elder son of General N. N. Raevsky, met Pushkin in the Caucasus in 1820.*
13. Бешту́ (Бешта́у, *meaning* "five mountains"), *i.e.*, Mount Besh, *a five-peaked mountain rising above the mineral springs region of the northern Caucasus. Pyatigorsk, a famous resort, is located at its foot.*
14. рисова́лся... was outlined in the distance
15. Екатериногра́д, *a fortress established in 1777 by Potemkin, a favorite of the Empress Catherine the Great (1762–96), was the regional capital, 1786–1802.*
16. вое́нная... (Вое́нно-Грузи́нская доро́га, *present-day usage*), the Military-Georgian Road, *long the sole artery of communication between Russia and the Transcaucasian regions, was opened in 1799.*
17. почто́вый... the post road stops
18. Владикавка́з, *a town and fortress on the Terek, was established in 1774 on the site of the small Ossetian village Kapkay and was later used for the defense of the Military-Georgian Road.*

весь карава́н, состоя́вший° из пятисо́т челове́к и́ли °comprised
о́коло. Проби́ли в бараба́н.[19] Мы тро́нулись.° start off
Впереди́ пое́хала пу́шка, окружённая пехо́тными
солда́тами. За не́ю потяну́лись° коля́ски, бри́чки, stretch
киби́тки[20] солда́ток,° переезжа́ющих° из одно́й кре́- soldier's wife   moving
пости° в другу́ю; за ни́ми заскрыпе́л обо́з двуколёс- fortress
ных а́роб.[21] По сторона́м бежа́ли ко́нские табуны́ и
стада́ воло́в. О́коло них скака́ли нага́йские провод-
ники́ в бу́рках и с арка́нами.[22] Всё э́то снача́ла мне
о́чень нра́вилось, но ско́ро надое́ло. Пу́шка е́хала at a walking pace   fuse
ша́гом,° фити́ль° кури́лся, и солда́ты раску́ривали°   light up
им свои́ тру́бки. Ме́дленность на́шего похо́да° (в march
пе́рвый день мы прошли́ то́лько пятна́дцать вёрст°), verst (3,500 feet)
несно́сная жара́, недоста́ток припа́сов,° беспоко́йные supplies
ночле́ги,° наконе́ц беспреры́вный скрып нага́йских "night encampment"
а́роб выводи́ли меня́ из терпе́ния. Тата́ре[23] тщесла́-
вятся° э́тим скры́пом, говоря́, что они́ разъезжа́ют boast
как че́стные лю́ди, не име́ющие нужды́ укрыва́ться.° hide
На сей° раз прия́тнее бы́ло бы мне путеше́ствовать this (*arch.*)
не в столь почте́нном о́бществе.[24] Доро́га дово́льно
однообра́зная:° равни́на;° по сторона́м холмы́.° На monotonous   plain   hill
краю́ не́ба верши́ны Кавка́за, ка́ждый день явля́ю-
щиеся° вы́ше и вы́ше. Кре́пости, доста́точные для appearing
зде́шнего кра́я,° со рвом,° кото́рый ка́ждый из нас region   moat
перепры́гнул° бы в старину́,[25] не разбега́ясь,° с зар- leap across   taking a run
жа́выми° пу́шками, не стреля́вшими° со времён rusty   fired
гра́фа Гудо́вича,[26] с обру́шенным° ва́лом,° по ко- collapsed   rampart
то́рому бро́дит° гарнизо́н° ку́риц и гусе́й. В кре́- wander   garrison
постях не́сколько лачу́жек, где с трудо́м мо́жно
доста́ть° деся́ток яи́ц° и ки́слого° молока́. get   egg   sour
    Пе́рвое замеча́тельное ме́сто есть кре́пость Ми-
наре́т. Приближа́ясь° к ней, наш карава́н е́хал по drawing near
преле́стной доли́не° ме́жду курга́нами,° обро́сшими° valley   burial mound   overgrown
ли́пой и чина́ром.° Это моги́лы° не́скольких ты́сяч plane tree   grave

19. Проби́ли... There was a drum signal.
20. коля́ски... various carriage-like conveyances
21. заскрыпе́л... the caravan of two-wheeled carts began to creak
    (Заскрыпе́ть *is archaic for* заскрипе́ть.)
22. скака́ли... galloped the Nagai (tribesmen) guides in cloaks and
    with lassos
23. Тата́ре *archaic plural*
24. не в столь... in less honorable company
25. в старину́ in the old days
26. Граф Гудо́вич (*1741–1820*), *commander of Russian troops in
    Georgia and Dagestan, 1806–09*

умёрших чумо́ю.[27] Пестре́лись° цветы́, порождённые заражённым пе́плом.[28] Спра́ва сия́л сне́жный Кавка́з; впереди́ возвыша́лась огро́мная, леси́стая гора́; за не́ю находи́лась кре́пость. Круго́м её видны́ следы́ разорённого° ау́ла,° называ́вшегося° Татарту́бом и бы́вшего не́когда гла́вным в Большо́й Кабарде́.[29] Лёгкий, одино́кий минаре́т свиде́тельствует о бытии́[30] исче́знувшего° селе́ния.° Он стро́йно° возвыша́ется ме́жду гру́дами° камне́й, на берегу́ иссо́хшего° пото́ка. Вну́тренняя° ле́стница ещё не обру́шилась. Я взобра́лся по ней на площа́дку, с кото́рой уже́ не раздаётся° го́лос муллы́.° Там нашёл я не́сколько неизве́стных имён, нацара́панных на кирпича́х славолюби́выми° путеше́ственниками.

show colorfully

sacked village (Caucasian) which was called

disappeared settlement gracefully

pile

dried up interior

resound Mullah (Moslem teacher)

vain

27. чумо́ю from plague. *In modern usage this would read* от чумы́, *the instrumental being archaic.*
28. порождённые... engendered by the contaminated ashes
29. Больша́я Кабарда́, *a region located on the northern slopes of the central Caucasus, stretches northward from the mountains to the level, Kabardian plain and is drained by the headstreams of the Terek.*
30. свиде́тельствует... bears witness to the existence

Подготовка к чтению

---

1. Они́ никогда́ не пропу́стят слу́чая напа́сть на беззащи́тного.

2. Зде́шняя сторона́ полна́ молво́й о их злоде́йствах.

3. Они́ обхо́дятся с пле́нниками с ужа́сным бесчелове́чием, заставля́ют рабо́тать сверх сил, бьют, когда́ взду́мается.

4. Они́ о́чень неда́вно при́няли магоме́та́нскую ве́ру.

5. Ро́дственники съезжа́лись со всех сторо́н.

6. Ма́льчики помину́тно прока́зят и выбега́ют на двор.

7. Вода́ приво́дит в движе́ние колёса ме́льниц.

8. Уще́лье извива́ется вдоль тече́ния реки́.

9. Пого́да была́ па́смурная, и тяжёлые облака́ тяну́лись по не́бу.

10. Я ни с чем не мог сравни́ть предстоя́вшего мне зре́лища.

1. They will never miss a chance of attacking a defenseless person.

2. In these parts rumor of their evil deeds is rife.

3. They treat prisoners with frightful inhumanity, force them to work beyond their strength, and beat them at will.

4. They adopted the Mohammedan faith very recently.

5. Relatives were congregating from all directions.

6. The boys are being naughty all the time and run outdoors.

7. The water sets in motion the wheels of the mills.

8. The gorge winds along the course of the river.

9. The weather was overcast and heavy clouds stretched along the sky.

10. I could not compare the sight in front of me with anything.

Доро́га на́ша сде́лалась живопи́сна.° Го́ры тяну́лись над на́ми. На их верши́нах по́лзали чуть ви́дные стада́ и каза́лись насеко́мыми.[1] Мы различи́ли° и пастуха́,° быть мо́жет ру́сского, не́когда взя́того в плен и состаре́вшегося в нево́ле.[2] Мы встре́тили ещё курга́ны, ещё разва́лины.° Два-три надгро́бных па́мятника[3] стоя́ло на краю́ доро́ги. Там, по обы́чаю черке́сов, похоро́нены° их нае́здники.° Тата́рская на́дпись, изображе́ние ша́шки, танга́, иссечённые на ка́мне,[4] оста́влены хи́щным° вну́кам° в па́мять хи́щного пре́дка.°

Черке́сы нас ненави́дят. Мы вы́теснили° их из приво́льных° па́стбищ;° аулы их разорены́, це́лые племена́° уничто́жены.° Они́ час о́т часу да́лее углубля́ются[5] в го́ры и отту́да направля́ют свои́ набе́ги.° Дру́жба **мирны́х**[6] черке́сов ненадёжна:° они́ всегда́ гото́вы помо́чь бу́йным свои́м единоплемённикам.° Дух° ди́кого их ры́царства° заме́тно упа́л. Они́ ре́дко напада́ют в ра́вном числе́ на казако́в, никогда́ на пехо́ту и бегу́т, зави́дя° пу́шку. Зато́° никогда́ не пропу́стят слу́чая напа́сть на сла́бый отря́д° и́ли на беззащи́тного. Зде́шняя сторона́ полна́ молво́й о их злоде́йствах. Почти́ нет никако́го спо́соба их усмири́ть,° пока́ их не обезору́жат,° как обезору́жили кры́мских тата́р, что чрезвыча́йно тру́дно испо́лнить по причи́не госпо́дствующих ме́жду и́ми насле́дственных ра́спрей и мще́ния кро́ви.[7] Кинжа́л и ша́шка суть° чле́ны их те́ла, и младе́нец начина́ет владе́ть° и́ми пре́жде, не́жели° лепета́ть.° У них уби́йство° — просто́е телодвиже́ние. Пле́нников они́ сохраня́ют° в

	picturesque
	make out shepherd
	ruin
	buried
	horseman
	rapacious
	grandchild forefather
	drive out
	wide-open pasture
	tribe destroyed
	raid
	undependable
	fellow tribesman
	spirit chivalry
	having caught sight of on the other hand
	detachment
	pacify disarm
	are (*rarely used in modern Russian*) master
	than babble murder
	keep

1. каза́лись... looked like insects
2. взя́того... taken prisoner and grown old in captivity
3. Два-три... two or three tombstones
4. на́дпись... inscription, a figure of a sword, a mark carved in the stone
5. Они́... they keep retreating farther and farther
6. мирно́й neutral, not taking part in hostilities between his tribe and the Russians. *The usage was restricted to the period of Russia's conquest of the Caucasus.*
7. по причи́не... because of the inherited feuds and blood vengeance that reign among them

надежде на выкуп,° но обходятся с ни́ми с ужа́сным бесчелове́чием, заставля́ют рабо́тать сверх сил, ко́рмят° сыры́м° те́стом,° бьют, когда́ взду́мается, и приставля́ют к ним для стра́жи свои́х мальчи́шек,[8] кото́рые за одно́ сло́во впра́ве° их изруби́ть° свои́ми де́тскими ша́шками. Неда́вно пойма́ли° мирно́го черке́са, вы́стрелившего в солда́та. Он опра́вдывался° тем, что ружьё° его́ сли́шком до́лго бы́ло заря́жено.° Что де́лать с таковы́м наро́дом? До́лжно, одна́ко ж, наде́яться, что приобрете́ние° восто́чного кра́я Чёрного мо́ря, отре́зав° черке́сов от торго́вли° с Ту́рцией, прину́дит° их с на́ми сбли́зиться.° Влия́ние ро́скоши мо́жет благоприя́тствовать их укроще́нию:[9] самова́р был бы ва́жным нововведе́нием.° Есть сре́дство° бо́лее си́льное, бо́лее нра́вственное,° бо́лее сообра́зное с просвеще́нием на́шего ве́ка: пропове́дание Ева́нгелия.[10] Черке́сы о́чень неда́вно приня́ли магомета́нскую ве́ру. Они́ бы́ли увлечены́° де́ятельным° фанати́змом апо́столов **Кора́на**, ме́жду ко́ими° отлича́лся Мансу́р, челове́к необыкнове́нный, до́лго возмуща́вший° Кавка́з про́тиву ру́сского владыче́ства,° наконе́ц схва́ченный° на́ми и уме́рший в Солове́цком монастыре́.[11] Кавка́з ожида́ет христиа́нских миссионе́ров. Но ле́гче для на́шей ле́ности° в заме́ну[12] сло́ва живо́го вылива́ть° мёртвые бу́квы и посыла́ть немы́е° кни́ги лю́дям, не зна́ющим гра́моты.°

Мы дости́гли Владикавка́за, пре́жнего Капка́я, преддве́рия° гор. Он окружён осети́нскими ау́лами. Я посети́л оди́н из них и попа́л на по́хороны. О́коло са́кли° толпи́лся° наро́д. На дворе́ стоя́ла арба́, запряжённая° двумя́ вола́ми. Ро́дственники и друзья́ уме́ршего съезжа́лись со всех сторо́н и с гро́мким пла́чем° шли в са́клю, ударя́я себя́ кулака́ми в лоб.[13]

	ransom
	feed raw dough
	have a right slaughter
	catch
	justify oneself rifle
	loaded
	acquisition
	by cutting off trade
	force become friendly
	innovation
	means moral
	fascinated
	active
	whom (*arch.*)
	stirred up
	domination seized
	laziness cast
	mute
	reading and writing
	gateway
	hut (Caucasian) crowd
	hitched
	wailing

8. приставля́ют... attach their young boys to them as guards
9. Влия́ние... The influence of luxury could facilitate the taming of them
10. бо́лее сообра́зное... more in keeping with the enlightenment of our century: the teaching of the Gospels
11. Солове́цкий монасты́рь, *a monastery located on one of the islands* (Соловки́) *in the White Sea, which were and remain places of exile for religious and political prisoners*
12. в заме́ну instead of
13. ударя́я... striking themselves on the forehead with their fists

Же́нщины стоя́ли сми́рно. Мертвеца́ вы́несли на бу́рке...

> ... like a warrior taking his rest
> With his martial cloak around him;[14]

положи́ли его́ на арбу́. Оди́н из госте́й взял ружьё поко́йника,° сдул с по́лки по́рох[15] и положи́л его́ по́дле° те́ла. Волы́ тро́нулись. Го́сти пое́хали сле́дом.° Те́ло должно́ бы́ло быть похоро́нено в гора́х, верста́х в тридцати́ от ау́ла. К сожале́нию, никто́ не мог объясни́ть мне сих обря́дов.°

Осети́нцы са́мое бе́дное пле́мя из наро́дов, обита́ющих° на Кавка́зе; же́нщины их прекра́сны и, как слы́шно,° о́чень благоскло́нны° к путеше́ственникам. У воро́т кре́пости встре́тил я жену́ и дочь заключённого° осети́нца. Они́ несли́ ему́ обе́д. О́бе каза́лись споко́йны и сме́лы;° одна́ко ж при моём приближе́нии о́бе поту́пили° го́лову и закры́лись свои́ми изо́дранными° **чадра́ми.**° В кре́пости я ви́дел черке́сских амана́тов,° ре́звых° и краси́вых ма́льчиков. Они́ помину́тно прока́зят и бе́гают из кре́пости. Их де́ржат в жа́лком° положе́нии. Они́ хо́дят в лохмо́тьях,° полунаги́е° и в отврати́тельной нечистоте́.[16] На ины́х° ви́дел я деревя́нные коло́дки.° Вероя́тно, что амана́ты, вы́пущенные на во́лю, не жале́ют о своём пребыва́нии[17] во Владикавка́зе.

Пу́шка оста́вила нас. Мы отпра́вились с пехо́той и казака́ми. Кавка́з нас при́нял в своё святи́лище.° Мы услы́шали глухо́й° шум и уви́дели Те́рек, разлива́ющийся° по ра́зным направле́ниям. Мы пое́хали по его́ ле́вому бе́регу. Шу́мные во́лны его́ приво́дят в движе́ние колёса ни́зеньких° осети́нских ме́льниц, похо́жих на соба́чьи конуры́.° Чем да́лее углубля́лись мы в го́ры, тем у́же° станови́лось уще́лие.° Стеснённый° Те́рек с рёвом° броса́ет свои́ му́тные° во́лны чрез утёсы,° прегражда́ющие° ему́ путь. Уще́лие извива́ется вдоль его́ тече́ния. Ка́менные подо́швы° гор обто́чены° его́ волна́ми. Я шёл пешко́м и помину́тно остана́вливался, поражённый

	deceased
	alongside
	in the wake
	rite
	dwelling
	one hears benevolent
	imprisoned
	bold
	lower
	ragged veil (Moslem)
	hostage (Caucasian) nimble
	pitiful
	rag half-naked
	some shackle
	sanctuary
	muffled
	flowing out
	low (*dim.*)
	doghouse
	narrower
	gorge constrained roar
	turbid cliff barring
	foothill worn smooth

14. *lines from "The Burial of Sir John Moore" (1817) by Charles Wolfe*
15. сдул...   blew the powder from the pan
16. в отврати́тельной...   in repulsive uncleanliness
17. амана́ты...   the hostages set free have no nostalgia for their sojourn

мра́чною° пре́лестию приро́ды. Пого́да была́ па́с- | gloomy
мурная; облака́ тяжело́ тяну́лись о́коло чёрных
верши́н. Граф Пу́шкин и Шёрнваль,[18] смотря́ на
Те́рек, вспомина́ли Йматру[19] и отдава́ли преиму́-
щество[20] **реке́ на Се́вере гремя́щей.**[21] Но я ни с чем
не мог сравни́ть мне предстоя́вшего зре́лища.

18. Граф [Му́син-] Пу́шкин и Шёрнваль, *the author's traveling com-
panions as far as Tiflis, the capital of Georgia*
19. Йматра, *falls on the Vuoksi River between Lake Saima in Finland
and Lake Ladoga in Russia*
20. отдава́ли... gave preference
21. **реке́...** "the river roaring in the North" *is a line from* "Водопа́д"
("*The Waterfall*") *by the eighteenth-century poet Gavrila Derzhavin.*

Подгото́вка к чте́нию

1. Э́то предостереже́ние с непривы́чки показа́лось мне чрезвыча́йно стра́нным.

2. Я перечёл расска́з с больши́м удово́льствием.

3. Они́ жа́ловались на выдава́емую им пи́щу.

4. Мы перее́хали че́рез овра́г, во вре́мя си́льных дожде́й превраща́ющийся в я́ростный пото́к.

5. Он за́дал мне не́сколько вопро́сов, на кото́рые я охо́тно отве́тил.

6. Мы расста́лись больши́ми прия́телями.

7. Прошли́ су́тки, и водопа́ды бо́льше не привлека́ли моего́ внима́ния.

8. Офице́р, по моему́ жела́нию, предста́вил меня́ придво́рному перси́дскому поэ́ту.

9. Со стыдо́м принуждён я был оста́вить шутли́вый тон и съе́хать на обыкнове́нные фра́зы.

10. Вперёд я не ста́ну суди́ть о челове́ке по его́ ви́ду.

---

1. From want of habit this warning appeared to me extremely strange.

2. I reread the story with great pleasure.

3. They complained about the food issued to them.

4. We crossed the gully that during heavy rains is turned into a raging torrent.

5. He asked me several questions, which I answered willingly.

6. We parted good friends.

7. Twenty-four hours passed and the waterfalls no longer attracted my attention.

8. At my wish the officer introduced me to the Persian court poet.

9. Ashamed, I was obliged to give up my jocular manner and come down to commonplace phrases.

10. Henceforth, I am not going to judge a man by his appearance.

3

Не доходя́° до Ла́рса,[1] я отста́л° от конво́я, за- reaching   lag behind
смотре́вшись° на огро́мные ска́лы, ме́жду ко́ими lost in contemplation
хле́щет° Те́рек с я́ростию неизъясни́мой.[2] Вдруг lash
бежи́т ко мне солда́т, крича́° мне и́здали:° «Не оста- calling out   from afar
на́вливайтесь, ва́ше благоро́дие,[3] убью́т!» Это пре-
достереже́ние с непривы́чки показа́лось мне чрез-
вычáйно стра́нным. Де́ло в том, что осети́нские
разбо́йники,° безопа́сные° в э́том у́зком ме́сте brigand   harmless
стреля́ют че́рез Те́рек в путеше́ственников. Накану́- on the day before   crossing
не° на́шего перехо́да° они́ напа́ли таки́м о́бразом на
генера́ла Бе́ковича,[4] проскака́вшего° сквозь их вы́- galloped
стрелы. На скале́ видны́ разва́лины како́го-то
за́мка:° они́ обле́плены° са́клями мирны́х осети́нцев, castle   thickly studded
как бу́дто гнёздами ла́сточек.° swallow

В Ла́рсе останови́лись мы ночева́ть. Тут нашли́
мы путеше́ственника францу́за, кото́рый напуга́л° alarm
нас предстоя́щей доро́гой. Он сове́товал нам бро́-
сить экипа́жи в Ко́би[5] и е́хать верхо́м.° С ним вы́- on horseback
пили мы в пе́рвый раз кахети́нского вина́ из воню́- reeking   wineskin
чего° бурдюка́,° вспомина́я° пирова́ния° Илиа́ды: recollecting   feasting

И в ко́зиих меха́х вино́, отра́ду на́шу![6]

Здесь нашёл я изма́ранный° спи́сок «Кавка́зского soiled
пле́нника»[7] и, признаю́сь, перечёл его́ с больши́м
удово́льствием. Всё э́то сла́бо, мо́лодо, непо́лно; но
мно́гое уга́дано° и вы́ражено ве́рно. guessed at

На друго́й день поутру́° отпра́вились мы да́лее. in the morning
Туре́цкие пле́нники разрабо́тывали° доро́гу. Они́ "build"
жа́ловались на пи́щу, им выдава́емую. Они́ ника́к не

1. Ларс, *a post station on the Military-Georgian Road, is located some 16½ miles to the south of Vladikavkaz.*
2. с я́ростию... with ineffable fury
3. ва́ше благоро́дие "your honor" (*formal address used in speaking to an officer in the pre-Revolutionary Russian army*)
4. Бе́кович, *a Circassian prince, joined the Russian forces in 1806 and eventually rose to the rank of general.*
5. Ко́би, *the last way station (at 6,500 feet) before the pass over the Caucasian mountains, marks the turning of the Road from the gorge of the Terek to the steep and narrow rise to the summit.*
6. И... "And wine in goatskins, our delight!" *from Ermil Kostrov's Russian translation of the* Iliad *(1787).*
7. "Кавка́зский пле́нник" *Pushkin's own long poem, written in 1820– 21, after his first visit to the Caucasus*

могли́ привы́кнуть к ру́сскому чёрному хле́бу. Э́то
напо́мнило° мне слова́ моего́ прия́теля Шере-   remind
ме́тева[8] по возвраще́нии его́[9] из Пари́жа: «Ху́до,°   it's bad
брат, жить в Пари́же: есть не́чего; чёрного хле́ба не
допро́сишься!»[10]

В семи́ верста́х от Ла́рса нахо́дится Дариа́льский
пост.° Ущелье но́сит то же и́мя. Ска́лы с обе́их   military post
сторо́н стоя́т паралле́льными стена́ми. Здесь так
у́зко, так у́зко, пи́шет оди́н путеше́ственник, что не
то́лько ви́дишь, но, ка́жется, чу́вствуешь тесноту́.°   closeness
Клочо́к° не́ба, как ле́нта, сине́ет над ва́шей голово́ю.   patch
Ручьи́,° па́дающие° с го́рной высоты́ ме́лкими и раз-   brook   falling
бры́зганными стру́ями,[11] напомина́ли мне похище́-
ние° Ганиме́да, стра́нную карти́ну Рембра́ндта. К   abduction
тому́ же[12] и ущелье освещено́° соверше́нно в его́   illuminated
вку́се. В ины́х места́х Те́рек подмыва́ет° са́мую по-   erode
до́шву скал, и на доро́ге, в ви́де плоти́ны,° нава́ле-   dam
ны° каме́нья.° Недалеко́ от поста́ мо́стик сме́ло   piled up   stone (*arch. pl.*)
перебро́шен° че́рез ре́ку. На нём стои́шь как на ме́ль-   thrown across
нице. Мо́стик весь так и трясётся,° а Те́рек шуми́т,   shake
как колёса, дви́жущие° жёрнов.° Про́тив Дариа́ла на   moving   millstone
круто́й скале́ видны́ разва́лины кре́пости. Преда́ние
гласи́т,[13] что в ней скрыва́лась° кака́я-то цари́ца   hide oneself
Да́рия, да́вшая° и́мя своё ущелию: ска́зка. Дариа́л   who gave
на дре́внем перси́дском° языке́ зна́чит воро́та.° По   Persian   gate
свиде́тельству Пли́ния,° Кавка́зские врата́,° ошибоч-   Pliny   gate (*arch.*)
но называ́емые Каспи́йскими,° находи́лись здесь.   Caspian
Ущелье за́мкнуто° бы́ло настоя́щими воро́тами,   closed off
деревя́нными, око́ванными° желе́зом.° Под ни́ми,   bound   iron
пи́шет Пли́ний, течёт река́ Дириодо́рис. Тут была́
воздви́гнута° и кре́пость для удержа́ния° набе́гов   erected   containment
ди́ких племён; и проч.° Смотри́те путеше́ствие   and so on
гра́фа И. Пото́цкого,[14] ко́его учёные изыска́ния°   investigation
столь же занима́тельны,° как и[15] испа́нские рома́ны.   entertaining

8. Шереме́тев (П.В., 1799–1837), *had served in the Russian embassy
   in Paris.*
9. по... upon his return
10. чёрного... you won't succeed in wangling any black bread
11. ме́лкими... in fine and scattered sprays
12. К тому́ же in addition
13. Преда́ние... legend has it
14. Пото́цкий, *the Polish Count Jan Potocki (1761–1815), traveler and
   historian, who also wrote novels on Spanish themes in French.
   Pushkin's information from Pliny is drawn from Potocki's* Voyage
   dans les steps d'Astrakhan et de Caucase... (*Paris, 1829*).
15. столь же... как... just as . . . as

Из Дариа́ла отпра́вились мы к Казбе́ку. Мы уви́-
дели **Тро́ицкие° воро́та** (а́рка, образо́ванная° в скале́   Trinity   formed
взры́вом° по́роха) — под ни́ми шла не́когда доро́га,   explosion
а ны́не протека́ет Те́рек, ча́сто меня́ющий° своё   changing
ру́сло.°   channel

Недалеко́ от селе́ния Казбе́к перее́хали мы че́рез
Бе́шеную ба́лку,[16] овра́г, во вре́мя си́льных дожде́й
превраща́ющийся в я́ростный пото́к. В э́то вре́мя он
был соверше́нно сух и гро́мок одни́м свои́м и́ме-
нем.[17]

Дере́вня Казбе́к нахо́дится у подо́швы горы́ Каз-
бе́к и принадлежи́т кня́зю° Казбе́ку. Князь, мужчи́на   prince
лет сорока́ пяти́, ро́стом вы́ше преображе́нского
флигельма́на.[18] Мы нашли́ его́ в духа́не (так назы-
ва́ются грузи́нские харче́вни,° кото́рые гора́здо бед-   inn
не́е и не чи́ще ру́сских).

В дверя́х лежа́л пуза́стый° бурдю́к (воло́вий мех),[19]   potbellied
растопы́ря° свои́ четы́ре ноги́. Велика́н° тяну́л° из   spreading wide   giant
него́ чихи́рь° и сде́лал мне не́сколько вопро́сов, на   "swill"
кото́рые отвеча́л я с почте́нием, подоба́емым его́   a Caucasian wine
зва́нию и ро́сту.[20] Мы расста́лись больши́ми при-
я́телями.

Ско́ро притупля́ются° впечатле́ния. Едва́ прошли́   lose sharpness
су́тки, и уже́ рёв Те́река и его́ безобра́зные° водопа́-   shapeless
ды, уже́ утёсы и про́пасти не привлека́ли моего́
внима́ния. Нетерпе́ние дое́хать до Тифли́са исклю-
чи́тельно овладе́ло мно́ю.[21] Я столь же равноду́шно°   indifferently
е́хал ми́мо Казбе́ка, как не́когда плыл ми́мо Чатыр-
да́га.[22] Пра́вда и то, что дождли́вая и тума́нная по-
го́да меша́ла мне ви́деть его́ снегову́ю гру́ду, по
выраже́нию поэ́та, **подпира́ющую небоскло́н.**[23]

Жда́ли перси́дского при́нца. В не́котором рас-

16. Бе́шеная ба́лка   Raging Ravine
17. гро́мок...   loud (and famous) in name alone
18. ро́стом...   in height taller than a Preobrazhensky right-flank
    man. *Members of the Preobrazhensky guards regiment were chosen
    for their exceptional height.*
19. воло́вий мех   oxhide container
20. с почте́нием...   with a deference befitting his rank and size
21. исключи́тельно...   possessed me completely
22. Чатырда́г, *one of the highest peaks on the Crimean peninsula, was
    seen by Pushkin when he was in the Crimea in 1820.*
23. подпира́ющую...   "which props up the firmament" (*from* "По-
    лусолда́т," *a poem by the soldier-poet Denis Davydov, a contempo-
    rary of Pushkin*)

стоя́нии от Казбе́ка попа́лись нам навстре́чу²⁴ не́- "obstruct"
сколько коля́сок и затрудни́ли° у́зкую доро́гу.
Пока́мест° экипа́жи разъезжа́лись, конво́йный офи- while
це́р объяви́л нам, что он провожа́ет° придво́рного escort
перси́дского поэ́та и, по моему́ жела́нию, предста́вил
меня́ Фази́л-Ха́ну. Я, с по́мощью перево́дчика, на́чал
бы́ло высокопа́рное° восто́чное приве́тствие;° но как grandiloquent greeting
же мне ста́ло со́вестно,²⁵ когда́ Фази́л-Хан отвеча́л
на мою́ неуме́стную° зате́йливость° просто́ю, у́мной out-of-place fancifulness
учти́востью поря́дочного челове́ка!²⁶ Он наде́ялся
уви́деть меня́ в Петербу́рге; он жале́л, что знако́м-
ство на́ше бу́дет непродолжи́тельно и проч. Со сты-
до́м принуждён я был оста́вить ва́жно-шутли́вый тон
и съе́хать на обыкнове́нные европе́йские фра́зы. Вот
уро́к на́шей ру́сской насме́шливости.° Вперёд не derisiveness
ста́ну суди́ть о челове́ке по его́ бара́ньей папа́хе и по
кра́шеным ногтя́м.²⁷

24. попа́лись... came our way (*from the opposite direction*)
25. мне... I was ashamed
26. у́мной... with the intelligent courtesy of a gentleman
27. по... by his sheepskin cap and painted nails

Вопро́сы | Путеше́ствие в Арзру́м

1

1. Что уви́дел а́втор в Ста́врополе?
2. Каку́ю переме́ну заме́тил а́втор на Горя́чих Во́дах?
3. Почему́ он предпочита́ет пре́жнее состоя́ние э́того ме́ста?
4. Как е́здили во времена́ Пу́шкина из Екатериногра́да во Владикавка́з?
5. Почему́ на Вое́нно-Грузи́нской доро́ге проезжа́ющим ну́жен был конво́й?
6. Как Пу́шкин опи́сывает карава́н?
7. Что выводи́ло его́ из терпе́ния?
8. Как Пу́шкин опи́сывает кре́пости, встреча́вшиеся на пути́?
9. Опиши́те подъе́зд к кре́пости Минаре́т.
10. Что оста́лось от разорённого ау́ла?

2

1. Как измени́лась доро́га по́сле кре́пости Минаре́т?
2. Что поду́мал а́втор о пастухе́, кото́рого он уви́дел на верши́не горы́?
3. Опиши́те надгро́бные па́мятники, стоя́вшие при доро́ге.
4. Как а́втор опи́сывает отноше́ния ме́жду черке́сами и ру́сскими?
5. Почему́ черке́сы ненави́дели ру́сских?
6. Что де́лали черке́сы с пле́нниками?
7. Счита́ет ли а́втор, что черке́сы и ру́сские мо́гут сбли́зиться?
8. Как Пу́шкин опи́сывает по́хороны в осети́нском ау́ле?
9. Как живу́т и как себя́ веду́т черке́сские амана́ты?
10. Како́е впечатле́ние произвели́ на а́втора Те́рек и окружа́ющие го́ры?
11. Опиши́те Те́рек.

3

1. Что случи́лось, когда́ а́втор отста́л от конво́я?
2. Почему́ Пу́шкин вспомина́ет о свое́й поэ́ме «Кавка́зский пле́нник»?
3. Что напо́мнили а́втору жа́лобы туре́цких пле́нных на чёрный хлеб?
4. Опиши́те Дарья́льское уще́лье.
5. Что говори́т преда́ние о разва́линах кре́пости напро́тив Дарья́ла?

6. Как а́втор объясня́ет назва́ние «Дарья́л»?
7. Опиши́те встре́чу Пу́шкина с кня́зем Казбе́ком.
8. Почему́ окружа́ющая приро́да переста́ла привлека́ть внима́ние а́втора?
9. Кого́ он встре́тил на доро́ге недалеко́ от Казбе́ка?
10. Како́й разгово́р произошёл ме́жду ни́ми?
11. Како́й вы́вод сде́лал а́втор из э́того разгово́ра? Почему́?

ФЁДОР ИВА́НОВИЧ ТЮ́ТЧЕВ
(*1803–73*)

A younger contemporary of Pushkin, Tyutchev was the
only major poet of that Golden Age of Russian poetry
who had a long life, the last thirty-five years of it falling
within the least poetic period in Russian literature,
when poetry, unless it conveyed some civic message, had
little appeal to the Russian reading public. Thus, despite
the admiration of such different writers among his
contemporaries as Turgenev and Nekrasov, Tyutchev
was almost completely neglected during his lifetime and
had to be "rediscovered" by posterity. The credit for
this rediscovery goes largely to the poet-philosopher
Vladimir Solovyov, whose pioneer work in this respect
was continued by the Russian Symbolists (Bryusov,
Zinaida Gippius, and others). Today Tyutchev's reputation as a major poet is firmly established, and many
people would place him immediately after Pushkin
among the great poets of the nineteenth century.

As a poet, Tyutchev in many ways harks back beyond
Pushkin—to the eighteenth-century tradition, to Derzhavin—while at the same time anticipating some
aspects of Russian Symbolism. Much of his poetry is of
a "metaphysical" nature, and one can hear in it echoes
of the German Romantics. But he also wrote some of
the most poignant love lyrics in Russian poetry and
even some "political" poems.

Much of Tyutchev's life was spent abroad in the
Russian diplomatic service (in Munich and Turin).

He knew Schelling and Heine personally and was one

of the first translators of Heine into Russian. Schelling once described Tyutchev as "a most remarkable and most cultivated man, with whom it is always a pleasure to converse."

Returning to Russia in 1844, Tyutchev for many years occupied high posts in the Russian civil service. His first book of poems, prepared for publication by Turgenev, appeared in 1854.

Tyutchev never wrote any prose fiction or any narrative poetry. His conservative (or even "counterrevolutionary") political views found their expression in several articles written in French, the most important of them being *La Russie et la Révolution*, published in 1849 in Paris as a separate pamphlet. Tyutchev also enjoyed the reputation of a brilliant conversationalist, and many of his witty and pithy sayings have been preserved by his contemporaries or are to be found in his letters.[1]

The poem we have included among our selections was written in December, 1837, in Genoa and was addressed to Baroness Ernestine Dörnberg who in 1839 became Tyutchev's second wife. Their amorous relationship had begun while Tyutchev's first wife was still alive, and there are allusions to this in the poem.

1. There is now a book-length study of Tyutchev in English (Richard A. Gregg, *Fedor Tiutchev: The Evolution of a Poet* [New York: Columbia University Press, 1965]).

Подготовка к чтению

1. Мы распрости́лись с после́дней наде́ждой.

2. Она́ предала́сь на во́лю не́ба.

3. Он отнёсся благоскло́нно к на́шему предложе́нию.

4. Сквозь сон он что́-то невня́тно прошепта́л.

5. Она́ перешла́ че́рез поро́г.

1. We bade farewell to our last hope.

2. She abandoned herself to the will of the heavens.

3. He reacted favorably to our proposition.

4. He muttered something indistinctly in his sleep.

5. She crossed the threshold.

Итальянская вилла

И распростя́сь с трево́гою° жите́йской,°   *anguish life's*
И кипари́сной° ро́щей° заслоня́сь,° —   *cypress grove shielding itself*
Блаже́нной° те́нью,° те́нью элисе́йской,°   *blissful shade Elysian*
Она́ засну́ла в до́брый час.[1]

И вот уж ве́ка два тому́ иль бо́ле,°   *more (arch.)*
Волше́бною° мечто́й огражден́а,°   *magical protected*
В свое́й цвету́щей° опочи́в° юдо́ли,°   *flowering slumbering vale*
На во́лю не́ба предала́сь она́.

Но не́бо здесь к земле́ так благоскло́нно!..
И мно́го лет и тёплых ю́жных зим
Прове́яло° над не́ю полусо́нно,°   *waft half-asleep*
Не тро́нувши° её крыло́м° свои́м.   *touching wing*

Попре́жнему° в углу́ фонта́н лепе́чет,°   *as before murmur*
Под потолко́м гуля́ет ветеро́к,
И ла́сточка° влета́ет и щебе́чет°...   *swallow twitter*
И спит она́... И сон её глубо́к.

И мы вошли́... всё бы́ло так споко́йно,
Так всё от ве́ка[2] ми́рно° и темно́!   *peaceful*
Фонта́н журча́л°... недви́жимо° и стро́йно°   *babble motionless stately*
Сосе́дний кипари́с гляде́л° в окно́.   *look*

. . . .

Вдруг всё смути́лось:° су́дорожный° тре́пет°   *be confused convulsive shudder*
По ве́твям° кипари́сным пробежа́л, —   *branch*
Фонта́н замо́лк° — и не́кий° чу́дный ле́пет,   *grow silent certain*
Как бы сквозь сон, невня́тно прошепта́л.

1. в до́брый час   at a favorable time
2. от ве́ка   from time immemorial

Что э́то, друг? Иль° зла́я жизнь неда́ром,°
Та жизнь, — увы́!° — что в нас тогда́ текла́,°
Та зла́я жизнь, с её мяте́жным жа́ром,[3]
Через поро́г заве́тный° перешла́?

                                "perhaps" not for nothing
                                alas flow

                                "safeguarded"

3. с...   with its rebellious ardor

МИХАЙЛ Ю́РЬЕВИЧ ЛЕ́РМОНТОВ

(1814–41)

The poem given here was written in the last year of Lermontov's tragically short life (he was killed in a duel with a fellow officer and former classmate at a military academy, a duel he seems to have deliberately provoked, like Pechorin, the hero of his novel). It was published posthumously and may be considered prophetic. In his article on Lermontov, Vladimir Solovyov pointed out that in Lermontov's "Dream" there are actually three dreams, one within another; and Vladimir Nabokov, who translated this poem into English in his *Three Russian Poets*, entitled his translation "The Triple Dream." In the introduction to his and his son's English translation of Lermontov's novel **Герой на́шего вре́мени**, where he gave a different unrhymed version of the same poem, he commented thus on it:

This remarkable composition . . . might be entitled "The Triple Dream."

There is an initial dreamer (Lermontov or, more exactly, his poetical impersonator) who dreams that he lies dying in a valley of Eastern Caucasus. This is Dream One, dreamt by Dreamer One.

The fatally wounded man (Dreamer Two) dreams in his turn of a young woman sitting at a feast in St. Petersburg or Moscow. This is Dream Two within Dream One.

The young woman sitting at the feast sees in her mind Dreamer Two (who dies in the course of the poem) in the surroundings of remote Dagestan. This is Dream Three within Dream Two within Dream One—

which describes a spiral by bringing us back to the first stanza.[1]

Nabokov adds that "the whorls of these five strophes have a certain structural affinity with the interlacements of the five stories that make up Lermontov's novel, *A Hero of Our Time*." That novel, published in 1840, a year before Lermontov's tragic end, is an important landmark in the history of the Russian novel. It is also an indication that had Lermontov's life not been cut short at the age of twenty-seven he might have developed into one of the most important novelists in Russian literature. His novel, the first Russian novel to apply psychological analysis on so large a scale, had a considerable influence on Lev Tolstoy's literary method.

1. Mihail Lermontov, *A Hero of our Time*, Vladimir and Dmitri Nabokov, trans. (Garden City, N.Y.: Doubleday Anchor Books, 1958), p. vi.

Подгото́вка к чте́нию

1. Он был недви́жим.

2. Они́ тесни́лись круго́м.

3. Он спит мёртвым сном.

4. Вы мне сни́лись.

5. У них шёл весёлый разгово́р обо мне.

1. He was motionless.

2. They crowded around.

3. He is dead asleep.

4. I dreamed of you.

5. Among them a merry conversation was going on about me.

Сон

В полдне́вный° жар,° в доли́не° Дагеста́на,[1]   noon's heat valley
С свинцо́м° в груди́° лежа́л недви́жим я;   lead breast
Глубо́кая ещё дыми́лась° ра́на,°   smoke wound
По ка́пле кровь точи́лася моя́.[2]

Лежа́л оди́н я на песке́° доли́ны,   sand
Усту́пы° скал° тесни́лися круго́м,   ledge rock
И со́лнце жгло° их жёлтые верши́ны°   burn summit
И жгло меня́ — но спа́л я мёртвым сном.[3]

И сни́лся мне сия́ющий° огня́ми°   shining light
Вече́рний пир° в роди́мой стороне́;[4]   feast
Меж ю́ных жён,[5] уве́нчанных° цвета́ми,   crowned
Шёл разгово́р весёлый обо мне.

Но, в разгово́р весёлый не вступа́я,°   joining
Сиде́ла там заду́мчиво° одна́,   pensively
И в гру́стный сон душа́° её млада́я°   soul young (*arch.*)
Бог зна́ет чем была́ погружена́.°   immersed

И сни́лась ей доли́на Дагеста́на;
Знако́мый труп° лежа́л в доли́не той,   corpse
В его́ груди́, дымя́сь, черне́ла° ра́на,   show black
И кровь лила́сь° хладе́ющей струёй[6]...   flow

1. Дагеста́н *a region situated on the northeastern slopes of the Caucasian mountains*
2. По ка́пле... drop by drop my blood trickled away
3. спал... I slept the sleep of death
4. в роди́мой... in my native land
5. Меж... amongst young women
6. хладе́ющей... in a stream that grew colder. Хладе́ющий *is archaic for* холоде́ющий.

ГРАФ АЛЕКСЕ́Й
КОНСТАНТИ́НОВИЧ ТОЛСТО́Й
(1817–75)

Count Aleksey Konstantinovich Tolstoy, a distant relative of the author of *War and Peace*, is best known to most people either by his dramatic historical trilogy, of which the middle play (**Царь Фёдор Иоа́ннович**) was the first play to be produced by Stanislavsky's Moscow Art Theatre, or by the compositions that Tchaikovsky wrote to his lyrical poems.

Tolstoy was a typical representative of what D. S. Mirsky rightly described as the Silver Age of Russian poetry, the period that followed the earlier Golden Age or the Pushkin period.[1] Mirsky saw "eclecticism," "submission to a compromise," as the salient feature common to the poets of this period (roughly speaking, after 1840), seeing only two poets in it—and two very different ones, at that—who remained free from this eclecticism: one was Afanasy Fet, who Mirsky said had "a genuinely transcendent poetic vision," and the other, Nikolay Nekrasov, "who was truly in tune with the stream of history." Tyutchev belonged, chronologically speaking, to the Golden Age, and to him the stigma of eclecticism does not apply either. Mirsky saw Aleksey Tolstoy as "the most popular, the most versatile, and ultimately the most personally significant of the eclectic poets," an embodiment of Aristotle's "golden mean." Harmoniousness and sense of balance indeed character-

---

1. The now usual designation of the period of poetic renascence at the beginning of the present century as "Silver Age" seems to be improper and misleading.

ize both his means of expression and his general out-
look, and his poetic range has a great width, going
from the grand and solemn (as in the beautiful para-
phrase of the prayer for the dead in the poem about
St. John Damascene) to the homely and prosaic. He
was also the greatest of Russian nonsense poets and the
creator with his two cousins, the brothers Zhemchuzh-
nikov, of the fictitious, and ludicrously pathetic, poetic
figure of Kuzma Prutkov.

The second of the two poems we give here is quoted
by Maurice Baring in his preface to the *Oxford Book of
Russian Verse* as a charming example of Russian poetic
realism. This poem was first published in the periodical
Совреме́нник in 1854.

Подготóвка к чтéнию

1. Мы смешáлись с толпóй.

2. Дáже éсли он узнáет об э́том, он тóлько махнёт рукóй.

3. Он лóвит звук далёкого колокóльчика.

1. We mixed in with the crowd.

2. Even if he learns about it, he will dismiss it lightly.

3. He is trying to catch the sound of a distant bell.

Пустой дом

Стои́т опусте́лый° над со́нным° прудо́м,°
    Где и́вы° пони́кли главо́й,[1]
На сла́ву[2] Растре́ллием[3] стро́енный дом,
    И герб° на щите́° веково́й.°
Окре́стность° молчи́т° среди мёртвого сна,
На о́кнах разби́тых° игра́ет луна́.

Сокры́тый° куста́ми,° в забы́том саду́
    Тот дом одино́ко стои́т;
Печа́льно гляди́тся° в зацве́тшем° пруду́
    С коро́ною° де́довский° щит...
Никто́ поклони́ться° ему́ не придёт, —
Забы́ли пото́мки° свой до́блестный° род!°

В блестя́щей° столи́це ины́е° из них
    С ничто́жной° смеша́лись толпо́й;
Пове́трие° мо́ды умча́ло° други́х
    Из ро́дины в мир им чужо́й.°
Там ру́сский от ру́сского кра́я отвы́к,[4]
Забы́л свою́ ве́ру,° забы́л свой язы́к!

deserted sleepy pond
willow

crest shield ancient
surroundings keep silent
broken

hidden bush

look at oneself overgrown
crown ancestral
bow
descendant valiant lineage

glittering some
worthless
"craze" carry away
alien

faith

1. пони́кли... hung their heads. Глава́ *is archaic for* голова́.
2. На сла́ву wonderfully well
3. *Bartolomeo Rastrelli (ca. 1700–71), son of a Florentine sculptor brought by Peter the Great to Russia (1715), became court architect, planned and built government buildings and palaces in St. Petersburg and Moscow, and drew up plans for numerous manor houses in the country. The name is not usually declined in Russian.*
4. от... grew unaccustomed to the Russian land

Крестья́н его бе́дных нае́мник° гнетёт,°
    Он вла́ствует° и́ми оди́н;
Его́ не пуга́ют° ропта́нья° сиро́т°...
    Услы́шит ли их господи́н?°
А е́сли услы́шит — руко́ю махнёт...
Забы́ли пото́мки свой до́блестный род!

Лишь° ста́рый служи́тель,° тоско́й удручён,[5]
    Младо́го° владе́теля[6] ждёт,
И ло́вит вдали́° колоко́льчика звон,
    И но́чью с одра́° привста́ет°...
Напра́сно!° всё ти́хо средь мёртвого сна,
Сквозь о́кна разби́тые смо́трит луна́,

Сквозь о́кна разби́тые ми́рно° гляди́т
    На дре́вние° сте́ны пала́т;°
Там в ра́мах° узо́рчатых° чи́нно° виси́т
    Напу́дренных° пра́дедов° ряд.°
Их пыль° покрыва́ет и червь° их грызёт°...
Забы́ли пото́мки свой до́блестный род!

hireling   oppress

rule
frighten   murmuring
   orphan
lord

only   servant
young (arch.)
in the distance
couch   rise up
in vain

peacefully
ancient   chamber
frame   patterned   sedately
powdered   forefather   row
dust   worm   gnaw

5. тоско́й...   weighed down by grief
6. владе́тель   owner, *arch. for* владе́лец

Подгото́вка к чте́нию

---

1. Доро́гой мы разгова́ривали.

2. В испу́ге де́ти по́дняли крик.

3. Мне здесь всё знако́мо, хотя́ я здесь никогда́ не́ был.

1. We talked as we rode along.

2. The children started screaming in fright.

3. Everything is familiar to me here, although I have never been here.

По гре́бле° неро́вной° и тря́ской,°   causeway   uneven   bumpy
Вдоль мо́крых рыба́чьих° сете́й,°   fisherman's net
Доро́жная° е́дет коля́ска,°   traveling   carriage
Сижу́ я заду́мчиво° в ней, —   "sunk in reverie"

Сижу́ и смотрю́ я доро́гой
На се́рый и па́смурный° день,   murky
На о́зера бе́рег отло́гий,°   sloping
На да́льний° дымо́к° дереве́нь.   distant   smoke (*dim.*)

По гре́бле, со взгля́дом° угрю́мым,°   look   sullen
Прохо́дит обо́рванный° жид,[1]   ragged
Из о́зера с пе́ной° и шу́мом   foam
Вода́ через гре́блю бежи́т.

Там ма́льчик игра́ет на ду́дке,°   reed pipe
Забра́вшись° в зелёный тростни́к;°   having gotten into   rushes
В испу́ге взлете́вшие° у́тки°   who had flown up   duck
Над о́зером по́дняли крик.[2]

Близ° ме́льницы° ста́рой и ша́ткой°   near   mill   shaky
Сидя́т на траве́ мужики́;°   peasant
Теле́га° с разби́той° лоша́дкой°   wagon   broken-down   nag
Лени́во° подво́зит мешки́°...   lazily   sack

Мне ка́жется всё так знако́мо,
Хоть не́ был я здесь никогда́:
И кры́ша далёкого до́ма,
И ма́льчик, и лес, и вода́.

1. жид Jew (*common in Southern Russia and the Ukraine* [*under Polish influence*] *but used only as a derogatory form in modern standard Russian*)
2. по́дняли... set up a clamor

И ме́льницы го́вор° уны́лый,°

И ве́тхое° в по́ле гумно́°...

Всё э́то когда́-то уж бы́ло,

Но мно́ю забы́то давно́.

Так то́чно ступа́ла° лоша́дка,

Таки́е ж тащи́ла° мешки́,

Таки́е ж у ме́льницы ша́ткой

Сиде́ли в траве́ мужики́.

И так же шёл жид борода́тый,°

И так же шуме́ла вода́...

Всё э́то уж бы́ло когда́-то,

Но то́лько не по́мню когда́!

murmur   melancholy

decrepit   threshing floor

step

haul

bearded

ГРАФ ЛЕВ НИКОЛА́ЕВИЧ ТОЛСТО́Й
(*1828–1910*)

When Tolstoy began writing "Алёша Горшо́к" he did not like the story. An entry in his diary on February 28, 1905, runs: "Have been writing Alesha. Quite bad. Gave it up." Whether Tolstoy changed his view later we do not know. The story was, however, finished the same year. D. S. Mirsky, for one, saw it as "a masterpiece of rare perfection," adding:

> It is the apotheosis of the holy fool, who does not himself realize his goodness. It is the story, told in five or six pages, of a peasant boy who was all his life everyone's drudge, but in his simplicity of soul and meek, unquestioning submission (non-resistance) knew that inner light and purity of conscience, that perfect peace, which was never attained by the conscious, rational, restless soul of Tolstoy. Concentrated into its six pages, "Alesha Gorshok" is one of his most perfect creations, and one of the very few which make one forget the bedrock Luciferianism and pride of the author.[1]

The story represents Tolstoy's latter-day manner, when he strove for the utmost simplicity of language and bareness of outline and shunned all those superfluous details that the critic Konstantin Leontyev had earlier dubbed the "flyspecks" of Russian nineteenth-century realism. (Prior to 1880 Tolstoy appeared to Leontyev to be one of the main culprits on this score.) Yet the story differs also in its tone, in its absence of all

1. D. S. Mirsky, *A History of Russian Literature*, Francis J. Whitfield, ed. (New York: Alfred A. Knopf, 1949), pp. 308–09.

obvious moralizing, from some of the stories Tolstoy
wrote in the 1880's and 1890's—that is, after his so-
called conversion. "Алёша Горшóк" was published
posthumously in 1911 together with several other
works of Tolstoy's latest period, the publication of
which was withheld as a result of the dispute raised by
Tolstoy's renunciation of his copyright.

Подгото́вка к чте́нию

1. Гра́мота ему́ не дала́сь, да и не́когда бы́ло учи́ться.

2. С двена́дцати лет он стал помога́ть отцу́.

3. Си́лы у него́ не́ было, а ухва́тка была́.

4. Он сра́зу бра́лся за то де́ло, кото́рое бы́ло пе́ред ним.

5. Его́ бра́та взя́ли в солда́ты.

6. Он не мог нара́доваться на свою́ оде́жду.

7. На что он годи́тся?

8. Он то́лько на вид сла́бый.

9. Чем бо́льше он де́лал, тем бо́льше на него́ нава́ливали де́ла.

10. К ве́черу у него́ но́ги ны́ли от беготни́.

1. He could not master reading and writing, and besides there was no time to study.

2. From the age of twelve he began helping his father.

3. He lacked the strength, but he had the knack.

4. He immediately tackled the work that faced him.

5. His brother was drafted into the army.

6. He doted upon his clothing.

7. What is he good for?

8. He only looks weak.

9. The more he did, the more work they heaped on him.

10. By evening his feet ached from running around.

Алёша Горшо́к

1

Алёшка[1] был меньшо́й° брат. Прозва́ли° его́
Горшко́м за то, что мать посла́ла его́ снести́° гор-
шо́к° молока́ дья́конице,° а он споткну́лся° и раз-
би́л° горшо́к. Мать поби́ла° его́, а ребя́та° ста́ли
дразни́ть° его́ «Горшко́м». Алёшка Горшо́к — так и
пошло́ ему́ про́звище.[2]

Алёшка был ма́лый° худоща́вый,° лопоу́хий° (у́ши
торча́ли,° как кры́лья°), и нос был большо́й. Ребя́та
дразни́ли: «У Алёшки нос, как кобе́ль° на бугре́».° В
дере́вне была́ шко́ла, но гра́мота не дала́сь Алёше,
да и не́когда бы́ло учи́ться. Ста́рший брат жил у
купца́° в го́роде, и Алёшка сы́змальства° стал помо-
га́ть отцу́. Ему́ бы́ло шесть лет, уж он с девчо́нкой-
сестро́й ове́ц° и коро́ву стерёг° на вы́гоне,° а ещё
подро́с,[3] стал лошаде́й стере́чь и в денно́м и в ноч-
но́м.[4] С двена́дцати лет уж он паха́л° и вози́л. Си́лы
не́ было, а ухва́тка была́. Всегда́ он был ве́сел.
Ребя́та смея́лись над ним; он молча́л° ли́бо° смея́л-
ся. Éсли оте́ц руга́л,° он молча́л и слу́шал. И как
то́лько перестава́ли его́ руга́ть, он улыба́лся и
бра́лся за то де́ло, кото́рое бы́ло пе́ред ним.

Алёше бы́ло девятна́дцать лет, когда́ бра́та его́
взя́ли в солда́ты. И оте́ц поста́вил Алёшу на ме́сто

younger (col.) call
take
pot deacon's wife
   stumble
break beat kids
tease

lad skinny lop-eared
stick out wing
dog mound

merchant ever since
   childhood

sheep watch over pasture

plow

keep silent or
scold

1. Алёша, Алёшка *diminutives of* Алексе́й
2. так и... that is how he got his nickname
3. а ещё... and when he was a little older
4. и в денно́м... both day and night (ночно́е night watch of horses
   grazing)

бра́та к купцу́ в дво́рники.° Алёше да́ли сапоги́° бра́тнины° ста́рые, ша́пку° отцо́вскую и поддёвку° и повезли́ в го́род. Алёша не мог нара́доваться на свою́ оде́жду, но купе́ц оста́лся недово́лен ви́дом Алёши.

 — Я ду́мал, и то́чно° челове́ка заме́сто° Семёна поста́вишь, — сказа́л купе́ц, огляну́в° Алёшу. — А ты мне како́го сопляка́° привёл. На что он годи́тся?

 — Он всё мо́жет — и запря́чь,° и съе́здить куда́, и рабо́тать люто́й;[5] он то́лько на вид как плете́нь.° А то он жи́лист.°

 — Ну уж, ви́дно, погляжу́.[6]

 — А пу́ще° всего́ — безотве́тный.° Рабо́тать зави́стливый.°

 — Что с тобо́й де́лать. Оста́вь.

И Алёша стал жить у купца́.

Семья́ у купца́ была́ небольша́я: хозя́йка, стару́ха мать, ста́рший сын жена́тый, просто́го воспита́ния,° с отцо́м в де́ле был, и друго́й сын — учёный, ко́нчил в гимна́зии° и был в университе́те, да отту́да вы́гнали,° и он жил до́ма, да ещё дочь — де́вушка гимнази́стка.

Снача́ла Алёшка не понра́вился — о́чень уж он был мужикова́т° и оде́т пло́хо, и обхожде́нья° не́ было, всем говори́л «ты», но ско́ро привы́кли к нему́. Служи́л он ещё лу́чше бра́та. То́чно был безотве́тный, на все дела́ его́ посыла́ли, и всё он де́лал охо́тно° и ско́ро, без остано́ва° переходя́ от одного́ де́ла к друго́му. И как до́ма, так и у купца́ на Алёшу нава́ливались все рабо́ты. Чем бо́льше он де́лал, тем бо́льше все на него́ нава́ливали дела́. Хозя́йка, и хозя́йская мать, и хозя́йская дочь, и хозя́йский сын, и прика́зчик,° и куха́рка,° всё то туда́, то сюда́ посыла́ли его́, то то́, то э́то заставля́ли де́лать.[7] То́лько и слы́шно бы́ло: «Сбе́гай, брат», и́ли: «Алёша, ты э́то устро́й.° — Ты что ж э́то, Алёшка, забы́л, что ль?[8] — Смотри́, не забу́дь, Алёша». И Алёша бе́гал,

<table>
<tr><td>yard-keeper boot</td></tr>
<tr><td>brother's (col.) cap man's
 long-waisted coat</td></tr>
<tr><td></td></tr>
<tr><td></td></tr>
<tr><td></td></tr>
<tr><td>really in place of (col.)</td></tr>
<tr><td>look over</td></tr>
<tr><td>snot-nosed kid</td></tr>
<tr><td>harness</td></tr>
<tr><td>wattle fence</td></tr>
<tr><td>wiry</td></tr>
<tr><td></td></tr>
<tr><td>most (col.) meek</td></tr>
<tr><td>"greedy"</td></tr>
</table>

upbringing

secondary school

expel

peasantlike manners

willingly pause

shop assistant cook

arrange

---

5. съе́здить... go wherever needed and (he's) a fiend when it comes to work
6. Ну уж... Well, I think I'll take a look at him.
7. то то́... they made him do now this, now that
8. Ты что... What is this, have you forgotten?

устра́ивал, и смотре́л, и не забыва́л, и всё успева́л,°   have time for
и всё улыба́лся.

Сапоги́ бра́тнины он ско́ро разби́л, и хозя́ин раз-
брани́л° его́ за то, что он ходи́л с махра́ми° на сапо-   berate   shreds (*pl.*)
га́х и го́лыми° па́льцами,° и веле́л° купи́ть ему́   bare   toe   order
но́вые сапоги́ на база́ре. Сапоги́ бы́ли но́вые, и Алё-
ша ра́довался на них, но но́ги у него́ бы́ли всё
ста́рые, и они́ к ве́черу ны́ли у него́ от беготни́, и он
серди́лся на них. Алёша боя́лся, как бы оте́ц, когда́
прие́дет за него́ получи́ть де́ньги, не оби́делся° бы   be offended
за то, что купе́ц за сапоги́ вы́чтет° из жа́лованья.°   subtract   wages

Подготовка к чтению

1. Зимой он вставал до света.

2. Где ты пропадаешь?

3. Обычно он не поспевает к обеду и ест на ходу.

4. На праздники ему давали на чай.

5. Своего жалованья он и в глаза не видал.

6. По совету кухарки он купил новую куртку.

7. Он согласился без малейшего колебания.

8. Ему казалось, что это так и должно быть.

9. Он внимательно слушал и покачивал головой.

10. Хозяйский сын подговаривал её на глупость, но она его осадила.

1. In winter he would get up before it was light.

2. Where have you gone off to?

3. Usually he does not make it to dinner and eats on the go.

4. On holidays they gave him a tip.

5. He never even set his eyes on his wages.

6. On the advice of the cook he bought a new jacket.

7. He agreed without the slightest hesitation.

8. He thought that this was as it should be.

9. He listened attentively and nodded his head.

10. The master's son tried to talk her into some foolishness, but she put him in his place.

2

Встава́л Алёша зимо́й до све́та, коло́л° дров,° пото́м вымета́л° двор, задава́л корм° коро́ве, ло́шади, пои́л° их. Пото́м топи́л° пе́чи,° чи́стил сапоги́, одёжу° хозя́евам, ста́вил° самова́ры, чи́стил их, пото́м ли́бо прика́зчик звал его́ выта́скивать° това́р,° ли́бо куха́рка прика́зывала ему́ меси́ть° те́сто,° чи́стить кастрю́ли.° Пото́м посыла́ли его́ в го́род, то с запи́ской, то за хозя́йской до́черью в гимна́зию, то за деревя́нным ма́слом[1] для стару́шки. «Где ты пропада́ешь, прокля́тый»,° — говори́л ему́ то тот, то друго́й. «Что вам сами́м ходи́ть[2] — Алёша сбе́гает. Алёшка! А Алёшка!» И Алёша бе́гал.

За́втракал он на ходу́, а обе́дать ре́дко поспева́л со все́ми. Куха́рка руга́ла его́ за то, что он не со все́ми хо́дит, но всё-таки жале́ла° его́ и оставля́ла ему́ горя́чего° и к обе́ду и к у́жину. Осо́бенно мно́го рабо́ты быва́ло к пра́здникам и во вре́мя пра́здников. И Алёша ра́довался° пра́здникам осо́бенно потому́, что на пра́здники ему́ дава́ли на чай хоть и ма́ло,[3] собира́лось копе́ек шестьдеся́т, но всё-таки э́то бы́ли его́ де́ньги. Он мог истра́тить° их, как хоте́л. Жа́лованья же своего́ он и в глаза́ не вида́л. Оте́ц приезжа́л, брал у купца́ и то́лько выгова́ривал° Алёшке, что он сапоги́ ско́ро растрепа́л.°

Когда́ он собра́л два рубля́ э́тих де́нег «нача́йных», то купи́л, по сове́ту куха́рки, кра́сную вя́заную° ку́ртку, и когда́ наде́л, то не мог уж свести́° гу́бы° от удово́льствия.

Говори́л Алёша ма́ло, и когда́ говори́л, то всегда́ отры́висто° и ко́ротко. И когда́ ему́ что́° прика́зывали сде́лать и́ли спра́шивали, мо́жет ли он сде́лать то и то,[4] то он всегда́ без мале́йшего колеба́ния говори́л: «Э́то всё мо́жно», — и сейча́с же броса́лся° де́лать и де́лал.

---

chop firewood
sweep out feed
water stoke stove
clothing (*col.*) "prepare"
pull out goods
knead dough
saucepan

accursed

pity
hot food

enjoy

spend

rebuke
"wear to tatters"

knitted bring together
lip

abruptly "something"

rush

---

1. деревя́нным... oil for icon lamps
2. Что... Why should you go yourself?
3. Хоть... even though it was small
4. то и то such and such

Моли́тв° он никаки́х не знал; как его́ мать учи́ла, он забы́л, а всё-таки моли́лся и у́тром и ве́чером — моли́лся рука́ми, крестя́сь.° · prayer · crossing himself

Так про́жил Алёша полтора́ го́да, и тут, во второ́й полови́не второ́го го́да, случи́лось с ним са́мое необыкнове́нное в его́ жи́зни собы́тие.° Собы́тие э́то состоя́ло° в том, что он, к удивле́нию своему́, узна́л, что, кро́ме тех отноше́ний° ме́жду людьми́, кото́рые происхо́дят от нужды́° друг в дру́ге, есть ещё отноше́ния совсе́м осо́бенные: не то чтобы ну́жно бы́ло челове́ку вы́чистить сапоги́,[5] и́ли снести́ поку́пку, и́ли запря́чь ло́шадь, а то, что челове́к так, ни заче́м ну́жен друго́му челове́ку,[6] ну́жно ему́ послужи́ть, его́ приласка́ть,° и что он, Алёша, тот са́мый челове́к. Узна́л он че́рез куха́рку Усти́нью. Устю́ша[7] была́ сирота́,° молода́я, така́я же работя́щая,° как и Алёша. Она́ ста́ла жале́ть Алёшу, и Алёша в пе́рвый раз почу́вствовал, что он, сам он, не его́ услу́ги,° а он сам ну́жен друго́му челове́ку. Когда́ мать жале́ла его́, он не замеча́л э́того, ему́ каза́лось, что э́то так и должно́ быть, что э́то всё равно́, как он сам себя́ жале́ет. Но тут вдруг он увида́л, что Усти́нья совсе́м чужа́я,° а жале́ет его́, оставля́ет ему́ в горшке́ ка́ши° с ма́слом и, когда́ он ест, подперши́сь° подборо́дком° на засу́ченную ру́ку,[8] смо́трит на него́. И он взгля́нет° на неё, и она́ засмеётся, и он засмеётся.

· event · consist · relationship · need · be nice · orphan · industrious · service · stranger · porridge · propping · chin · glance

Э́то бы́ло так но́во и стра́нно, что снача́ла испуга́ло° Алёшу. Он почу́вствовал, что э́то помеша́ет° ему́ служи́ть, как он служи́л. Но всё-таки он был рад и, когда́ смотре́л свои́ штаны́,° заштопанные° Усти́ньей, пока́чивал голово́й и улыба́лся. Ча́сто за рабо́той и́ли на ходу́ он вспомина́л Усти́нью и говори́л: «Ай да Усти́нья!»[9] Усти́нья помога́ла ему́, где могла́, и он помога́л ей. Она́ рассказа́ла ему́ свою́ судьбу́,° как она́ осироте́ла,° как её тётка взяла́, как о́тдали в го́род,[10] как купе́ческий° сын её на глу́пость подгова́ривал и как она́ его́ осади́ла.

· scare · be in the way · trousers · darned · fate · become orphaned · merchant's

5. не то... it is not that one has to clean boots for someone
6. а то... but rather that this someone is simply, for no reason at all, needed by the other
7. Устю́ша *diminutive of* Усти́нья
8. на... on her bare arm (with her sleeve tucked up)
9. Ай да... (*expression of approval*) What a girl this Ustinya is!
10. о́тдали... they sent her to town (to become a servant)

Подгото́вка к чте́нию

1. Алексе́й заду́мал жени́ться на куха́рке.

2. Я прикажу́ ему́, чтоб он э́то бро́сил.

3. Он прибежа́л в дом запыха́вшись.

4. Я женю́ тебя́, когда́ подойдёт вре́мя.

5. На́ше де́ло не вы́шло.

6. На беду́ он упа́л с кры́ши.

7. До́ктор осмотре́л его́ и спроси́л, где бо́льно.

8. Он пролежа́л дво́е су́ток, на тре́тьи посла́ли за свяще́нником.

9. Он никогда́ ничему́ не удивля́лся.

1. Aleksey has taken it into his head to marry the cook.

2. I'll tell him to drop it.

3. He ran into the house out of breath.

4. I'll marry you off when the time comes.

5. Our business did not work out.

6. Worse luck, he fell off the roof.

7. The doctor examined him and asked where it hurt.

8. He lay two whole days, and on the third they sent for the priest.

9. Nothing ever surprised him.

3

Она́ люби́ла говори́ть, а ему́ прия́тно бы́ло её слу́шать. Он слыха́л,° что в города́х ча́сто быва́ет: hear
каки́е мужики́ в рабо́тниках° — же́нятся на куха́рках. hired servants
И оди́н раз она́ спроси́ла его́, ско́ро ли его́ же́нят.
Он сказа́л, что не зна́ет и что ему́ неохо́та в дере́вне
брать.[1]

— Что ж, кого́ пригляде́л?° — сказа́ла она́. choose

— Да я бы тебя́ взял. Пойдёшь, что ли?[2]

— Вишь,[3] горшо́к, горшо́к, а как изловчи́лся° manage
сказа́ть, — сказа́ла она́, уда́рив° его́ ручнико́м° по strike "hand towel"
спине́. — Отчего́ же не пойти́?

На ма́сленице° стари́к прие́хал в го́род за день- Shrovetide
га́ми. Купцо́ва° жена́ узна́ла, что Алексе́й заду́мал merchant's
жени́ться на Усти́нье, и ей не понра́вилось э́то.
«Забере́менеет,° с ребёнком куда́ она́ годи́тся».[4] Она́ get pregnant
сказа́ла му́жу.

Хозя́ин о́тдал де́ньги Алексе́еву° отцу́. Aleksey's

— Что ж, хорошо́ живёт мой-то?[5] — сказа́л му-
жи́к. — Я говори́л — безотве́тный.

— Безотве́тный-то безотве́тный, да глу́пости за-
ду́мал. Жени́ться взду́мал° на куха́рке. А я жена́тых take into one's head
держа́ть° не ста́ну. Нам э́то не подходя́ще.[6] keep

— Дура́к, дура́к, а что взду́мал, — сказа́л оте́ц. —
Ты не ду́май. Я прикажу́ ему́, чтоб он э́то бро́сил.

Придя́° в ку́хню, оте́ц сел, дожида́ясь° сы́на, за стол. having come awaiting
Алёша бе́гал по дела́м и, запыха́вшись, верну́лся.

— Я ду́мал, ты пу́тный.° А ты что заду́мал? — sensible
сказа́л оте́ц.

— Да я ничего́.

— Как ничего́? Жени́ться захоте́л. Я женю́, когда́
вре́мя подойдёт, и женю́ на ком на́до, а не на шлю́хе° slut
городско́й.

1. ему́... he is unwilling to take a wife from the village (*col.*)
2. Пойдёшь... will you marry me (*col.*)
3. Вишь (ви́дишь) *expression of surprise*
4. куда́... what good is she
5. мой-то my son (то *particle used for emphasis*)
6. Нам... That doesn't suit us.

Оте́ц мно́го говори́л. Алёша стоя́л и вздыха́л.°   sigh
Когда́ оте́ц ко́нчил, Алёша улыбну́лся.

— Что ж, э́то и оста́вить мо́жно.[7]

— То́-то.°   "That's better."

Когда́ оте́ц ушёл и он оста́лся оди́н с Усти́ньей,
он сказа́л ей (она́ стоя́ла за две́рью и слу́шала, когда́
оте́ц говори́л с сы́ном):

— Де́ло на́ше не того́,[8] не вы́шло. Слы́шала?   get angry (col.)   "allow"
Рассерча́л,° не вели́т.°

Она́ запла́кала мо́лча° в фа́ртук.°   silently   apron

Алёша щёлкнул° языко́м.   click

— Как не послу́шаешь-то. Ви́дно, броса́ть на́до.

Ве́чером, когда́ купчи́ха° позвала́ его́ закры́ть   merchant's wife
ста́вни,° она́ сказа́ла ему́:   shutter

— Что ж, послу́шал отца́, бро́сил глу́пости свои́?

— Ви́дно, что бро́сил, — сказа́л Алёша, засмея́лся
и тут же запла́кал.

С тех пор Алёша не говори́л бо́льше с Усти́ньей
об жени́тьбе° и жил по-ста́рому.°   marriage   as before

Пото́м прика́зчик посла́л его́ счища́ть° снег с   clean off
кры́ши. Он поле́з на кры́шу, счи́стил весь, стал
отдира́ть° примёрзлый° снег у желобо́в,° но́ги по-   scrape off   frozen (to)
кати́лись,° и он упа́л с лопа́той.° На беду́ упа́л он не   gutter
в снег, а на кры́тый° желе́зом° вы́ход.° Усти́нья под-   "slip"   shovel
бежа́ла к нему́ и хозя́йская дочь.   covered   iron   exit

— Уши́бся,° Алёша?   hurt oneself

— Вот ещё уши́бся. Ничево́.[9]

Он хоте́л встать, но не мог и стал улыба́ться. Его́
снесли́ в дво́рницкую.° Пришёл фе́льдшер.° Ос-   yard-keeper's lodge
мотре́л его́ и спроси́л, где бо́льно.   doctor's assistant

— Бо́льно везде́, да э́то ничево́. То́лько что хозя́-
ин оби́дится.[10] На́до ба́тюшке посла́ть слух.[11]

Пролежа́л Алёша дво́е су́ток, на тре́тьи посла́ли
за попо́м.°   priest (col.)

— Что же, а́ли помира́ть бу́дешь?[12] — спроси́ла
Усти́нья.

7. Что ж...   Well, I can give it up.
8. не того́   "bad" (col.)
9. Вот...   What do you mean, hurt myself? It's nothing. (*Note: spelling reflects pronunciation.*)
10. То́лько...   It's only that the master will get mad.
11. На́до...   We'll have to send word to Father.
12. Что же...   So then, are you going to die? (col.)

— А то что ж?[13] Рáзве всё° и жить бýдем? Когдá-
нибудь нáдо, — бы́стро, как всегдá, проговори́л
Алёша. — Спаси́бо, Устю́ша, что жалéла меня́. Вот
онó и лýчше, что не велéли жени́ться, а то бы ни к
чемý бы́ло.[14] Тепéрь всё по-хорóшему.

Моли́лся он с попóм тóлько рукáми и сéрдцем. А
в сéрдце у негó бы́ло то, что как здесь хорошó, коли́°
слýшаешь и не обижáешь,° так и там хорошó бýдет.

Говори́л он мáло. Тóлько проси́л пить и всё чемý-
то удивля́лся.

Удиви́лся чемý-то, потянýлся° и пóмер.

"always"

if
hurt

stretch

13. А то что ж?   Why not?
14. а то...   it would have all been for nothing

Вопро́сы | Алёша Горшо́к

1

1. За что Алёшу прозва́ли Горшко́м?
2. Опиши́те вне́шность Алёши.
3. Почему́ Алёша не учи́лся в шко́ле?
4. С како́го во́зраста стал Алёша помога́ть отцу́?
5. Где жил ста́рший брат Алёши?
6. Что де́лал Алёша, когда́ ребя́та смея́лись над ним?
7. Почему́ оте́ц отпра́вил его́ в го́род на ме́сто бра́та?
8. Како́е впечатле́ние произвёл Алёша на купца́?
9. Как оте́ц описа́л хара́ктер Алёши купцу́?
10. Кака́я семья́ была́ у купца́?
11. Почему́ в семье́ купца́ ско́ро привы́кли к Алёше?
12. Расскажи́те исто́рию с сапога́ми.

2

1. Почему́ Алёша ра́довался пра́здникам, хотя́ у него́ бы́ло осо́бенно мно́го рабо́ты в э́ти дни?
2. Как Алёша говори́л?
3. Как он моли́лся?
4. Что случи́лось с Алёшей че́рез полтора́ го́да жи́зни у купца́?
5. Кто была́ Усти́нья?
6. Как относи́лась она́ к Алёше?
7. Чем отлича́лось отноше́ние Усти́ньи от отноше́ния други́х люде́й к Алёше?
8. Что Усти́нья де́лала для Алёши?
9. Почему́ Алёша испуга́лся своего́ но́вого чу́вства к Усти́нье?
10. Что рассказа́ла Усти́нья Алёше о себе́?

1. Какой разговор был у Алёши с Устиньей перед масленицей?
2. Почему жене купца не понравилось, что Алёша хотел жениться на Устинье?
3. Как купец сообщил об этом отцу Алёши?
4. Почему отец не разрешил Алёше жениться на кухарке?
5. Чем кончился разговор Алёши с отцом?
6. Как Алёша рассказал Устинье о решении отца?
7. Как Алёша жил после разговора с отцом?
8. Расскажите, как Алёша упал с крыши.
9. О чём он стал беспокоиться, когда понял, что не может встать?
10. О чём он говорил с Устиньей перед смертью?
11. О чём думал Алёша перед смертью?
12. Почему Алёшу несколько раз называют «безответным»?
13. Как Толстой относится к Алёше?
14. Понравился ли вам этот рассказ? Почему?

АНТÓН ПÁВЛОВИЧ ЧÉХОВ

(*1860–1904*)

It is difficult to say which of the two, Chekhov the short-story writer or Chekhov the playwright, is more popular in the West. In Russia the situation is somewhat different: when they were written, published, and staged, Chekhov's plays found a number of detractors (as they did later), among them such famous writers as Leo Tolstoy and Ivan Bunin. His stories, on the other hand, enjoyed quasi-unanimous recognition and admiration. In the 1880's and 1890's he renovated the art of the short story, and this genre may be said to have dominated Russian literature since the end of the great age of the novel. Later, Chekhov was to influence short-story writing outside Russia, especially in the English-speaking world. Tolstoy, who had no use for Chekhov's plays but admired many of his stories, once compared Chekhov's art to impressionism in modern painting. This parallel is, on the whole, very apt. "Пóчта," which belongs to Chekhov's middle period (it was written in 1887), is one of those stories that seem to be created "out of nothing"—in which strictly speaking there is no "story"—but that succeed in creating a certain mood by a few effective strokes of the brush. It has always been a matter of surprise to the present writer that in so many English editions of Chekhov's selected stories (and in some Russian ones, too) this gem of a story is omitted.

Thematically, the story belongs to that group in which Chekhov explores the motif of the mutual lack of understanding among human beings, of their alienation from each other. This motif, as D. S. Mirsky pointed out, later became a *leitmotif* of all Chekhov's mature work, including some of his plays. Here, the theme is only tentatively sketched, and this is done with the utmost economy of means, without any of that verbosity that can be discerned in some of Chekhov's own later investigations of the same theme and without the slightest hint of sentimentality into which another writer might have easily lapsed.

Hand in glove with Chekhov's terseness in his best stories go his detachment and reticence, which some people took for callous indifference. It was this "shy reticence" that Pasternak stressed through the medium of Yury Andreevich Zhivago, who should not necessarily be regarded as Pasternak's complete *alter ego* but who in this case undoubtedly voiced his creator's sentiments and ideas. Zhivago wrote in his Varykino diary:

> Of all things Russian I now like best the childlike Russian quality of Pushkin and Chekhov, their shy reticence about such high-sounding matters as the ultimate goals of mankind or their own salvation. They, too, understood those things well, but to venture into them was not their business; it would be presumptuous.[1]

And Pasternak's hero went on to contrast them in this respect with at least three other great Russian writers— Gogol, Tolstoy, and Dostoyevsky.

1. Борис Пастернак, **Доктор Живаго** (Ann Arbor: University of Michigan Press, 1958), p. 294.

Подготовка к чтению

---

1. Почтальон, совсем готовый в дорогу, стоял около двери.

2. Чем лошадей для него нанимать, так пусть лучше даром проедет.

3. Лошадь беспокойно переминалась с ноги на ногу и встряхивала головой.

4. На мгновение огонёк трубки освещал то усы с большим носом, то нависшие брови.

5. Толкнув его нечаянно локтем, студент сказал робко и вежливо: «Виноват!»

6. Он прошёлся около почтового отделения.

7. Тройка глухо застучала по пыльной дороге.

8. Даже по небу видно, что уже осень.

9. Он привык видеть звёзды, и, вероятно, они давно уже надоели ему.

10. Вам известно, в котором часу восходит солнце?

1. The postman, quite ready to go, stood by the door.

2. Rather than hire horses for him, let him ride free.

3. The horse was shifting restlessly from leg to leg and tossing its head.

4. The light of the pipe would momentarily light up now his moustache and a big nose, now his overhanging brows.

5. Having jogged him inadvertently with his elbow, the student said timidly and politely, "I'm sorry!"

6. He took a stroll alongside the post office.

7. The team of three horses and the carriage started off with a muffled sound along the dusty road.

8. One can see even by the sky that it is already autumn.

9. He was used to seeing the stars and had probably long since grown tired of them.

10. Do you know at what time the sun rises?

Пóчта

1

Бы́ло три часá нóчи. Почтальóн, совсéм ужé готó-
вый в дорóгу, в фурáжке,° в пальтó и с заржáвлен-
ной° сáблей° в рукáх, стоя́л óколо двéри и ждал,
когдá ямщики́° кóнчат уклáдывать° пóчту на тóлько
что пóданную трóйку.[1] Зáспанный° приёмщик° сидéл за свои́м столóм, похóжим на прилáвок,° чтó-
то писáл на блáнке и говори́л:

— Мой племя́нник студéнт прóсится° сейчáс éхать
на стáнцию. Так ты тогó,[2] Игнáтьев, посади́ егó с
собóй на трóйку и довези́. Хоть э́то и не дозвóлено,°
чтоб посторо́нних° с пóчтой вози́ть, ну да что ж
дéлать! Чем лошадéй для негó нанимáть, так пусть
лу́чше дáром проéдет.

— Готóво! — послы́шался° крик со дворá.

— Ну, поезжáй с Бóгом, — сказáл приёмщик. —
Котóрый ямщи́к éдет?

— Семён Глáзов.

— Поди́ распиши́сь.[3]

Почтальóн расписáлся и вы́шел. У вхóда в почтó-
вое отделéние темнéла° трóйка. Лóшади стоя́ли
неподви́жно, тóлько однá из пристяжны́х° беспо-
кóйно перемина́лась с ноги́ нá ногу и встря́хивала
головóй, отчегó и́зредка позвя́кивал° колокóльчик.°
Тарантáс° с тюкáми° казáлся чёрным пятнóм,° вóзле

peaked cap	
rusty saber	
coachman load	
groggy from sleep	
receptionist	
counter	
ask permission	
allow (*arch., col.*)	
unauthorized person	
be heard	
show dark	
side horse	
tinkle bell	
springless carriage bundle	
spot	

1. на... on the troika that had just been driven up
2. тогó *a particle indicating a pause, a searching for words* (*col.*)
3. Поди́... Go and sign out ("Поди́" *is colloquial for* пойди́).

него лени́во дви́гались два силуэ́та: студе́нт с чемо-
да́ном в рука́х и ямщи́к. После́дний° кури́л носо- *the latter*
гре́йку;° огонёк носогре́йки дви́гался в потёмках,° *short pipe   darkness*
потуха́л и вспы́хивал;[4] на мгнове́ние освеща́л он то
кусо́к рукава́,° то мохна́тые° усы́ с больши́м, ме́дно°- *sleeve   shaggy   coppery*
кра́сным но́сом, то нави́сшие, суро́вые° бро́ви. *stern*

Почтальо́н помя́л° рука́ми тюки́, положи́л на них *flatten out*
са́блю и вскочи́л° на таранта́с. Студе́нт нереши́тель- *jump up*
но° поле́з за ним и, толкну́в его́ неча́янно ло́ктем, *indecisively*
сказа́л ро́бко и ве́жливо: «Винова́т!» Носогре́йка
поту́хла. Из почто́вого отделе́ния вы́шел приёмщик,
как был, в одно́й жиле́тке° и в ту́флях; пожима́ясь от *vest*
ночно́й сы́рости и покря́кивая,[5] он прошёлся о́коло
таранта́са и сказа́л:

— Ну, с Бо́гом! Кла́няйся,° Михайло, ма́тери! *"regards"*
Всем кла́няйся. А ты, Игна́тьев, не забу́дь переда́ть
паке́т Быстрецо́ву... Тро́гай!° *Be off!*

Ямщи́к забра́л во́жжи° в одну́ ру́ку, вы́сморкался° *rein   blow one's nose*
и, попра́вив° под собо́ю сиде́нье, чмо́кнул.° *adjusting   smack one's lips*

— Кла́няйся же! — повтори́л приёмщик.

Колоко́льчик что́-то прозвя́кал бубе́нчикам,° бу- *carriage bell (dim.)*
бе́нчики ла́сково° отве́тили ему́. Таранта́с взви́зг- *gently*
нул,° тро́нулся,° колоко́льчик запла́кал, бубе́нчики *squeak   start off*
засмея́лись. Ямщи́к, приподня́вшись,° два ра́за *rising up*
хлестну́л° по беспоко́йной пристяжно́й, и тро́йка *strike (with a whip)*
глу́хо застуча́ла по пы́льной доро́ге. Городи́шко° *town (dim.)*
спал. По о́бе стороны́ широ́кой у́лицы черне́ли дома́
и дере́вья, и не́ было ви́дно ни одного́ огонька́. По
не́бу, усе́янному° звёздами, ко́е-где́° тяну́лись° у́зкие *"studded"   here and there   stretch*
облака́, и там, где ско́ро до́лжен был нача́ться
рассве́т,° стоя́л у́зкий лу́нный серп;[6] но ни звёзды, *daybreak*
кото́рых бы́ло мно́го, ни полуме́сяц,° каза́вшийся° *half-moon   which looked*
бе́лым, не проясня́ли° ночно́го во́здуха. Бы́ло хо́лод- *clear up*
но, сы́ро и па́хло о́сенью.[7]

Студе́нт, счита́вший до́лгом ве́жливости[8] ла́сково
поговори́ть с челове́ком, кото́рый не отказа́лся° *refuse*
взять его́ с собо́й, на́чал:

---

4. потуха́л... would go out and flare up (again)
5. пожима́ясь... hunching up from the night dampness and grunting
6. лу́нный серп   sickle moon; crescent
7. па́хло... smelled of autumn
8. счита́вший... who considered it a matter of politeness

— Ле́том в э́то вре́мя уже́ светло́, а тепе́рь ещё
да́же зари́° не ви́дно. Прошло́ ле́то! dawn

Студе́нт погляде́л на не́бо и продолжа́л:

— Да́же по не́бу ви́дно, что уже́ о́сень. Посмо-
три́те напра́во. Ви́дите три звезды́, кото́рые стоя́т
ря́дом по одно́й ли́нии? Э́то созве́здие° Орио́на, constellation
кото́рое появля́ется на на́шем полуша́рии° то́лько в hemisphere
сентябре́.

Почтальо́н, засу́нувший° ру́ки в рукава́ и по́ уши who had shoved
уше́дший в воротни́к⁹ своего́ пальто́, не пошевель-
ну́лся° и не взгляну́л° на не́бо. По-ви́димому,° соз- stir glance apparently
ве́здие Орио́на не интересова́ло его́. Он привы́к
ви́деть звёзды, и, вероя́тно, они́ давно́ уже́ надое́ли
ему́. Студе́нт помолча́л немно́го и сказа́л:

— Хо́лодно! Пора́ бы уж быть рассве́ту.¹⁰ Вам из-
ве́стно, в кото́ром часу́ восхо́дит со́лнце?

— Что-с?

— В кото́ром часу́ восхо́дит тепе́рь со́лнце?

— В шесто́м! — отве́тил ямщи́к.

9. по́ уши... who had sunk into his collar up to his ears
10. Пора́... It should be time for the sun to be up.

Подгото́вка к чте́нию

1. На просто́ре луна́ каза́лась бо́льше, и звёзды сия́ли я́рче.

2. Мину́т че́рез де́сять ста́ло так темно́ что уж не́ бы́ло ви́дно ни звёзд, ни ме́сяца.

3. Ве́тви то и де́ло би́ли студе́нта по лицу́.

4. Таранта́с пока́чивался, как пья́ный.

5. Тут едва́ не произошло́ несча́стье.

6. Ло́шади чего́-то испуга́лись и понесли́.

7. Он стал иска́ть, за что́ бы ухвати́ться.

8. Он упа́л лицо́м на сиде́нье и уши́б себе́ лоб.

9. В его́ пла́чущем го́лосе слы́шались боль и зло́ба.

10. Когда́ страх прошёл, ему́ ста́ло смешно́ и ве́село.

1. Out in the open the moon looked bigger and the stars shone more brightly.

2. In about ten minutes it became so dark that neither the stars nor the moon could be seen any longer.

3. The branches now and again hit the student across the face.

4. The carriage was swaying like a drunk.

5. An accident almost happened at this point.

6. The horses took fright at something and bolted.

7. He began to look for something to cling to.

8. He fell with his face against the seat and hurt his forehead.

9. Pain and anger could be heard in his whining voice.

10. When the fright was over he felt amused and gay.

2

Тро́йка вы́ехала из го́рода. Тепе́рь уже́ по о́бе
сто́роны видны́ бы́ли то́лько плетни́° огоро́дов° и
одино́кие вётлы,° а впереди́ всё застила́ла мгла.[1]
Здесь на просто́ре полуме́сяц каза́лся бо́лее, и
звёзды сия́ли я́рче. Но вот па́хнуло сы́ростью;[2] поч-
тальо́н глу́бже° ушёл в воротни́к, и студе́нт почу́в-
ствовал, как неприя́тный хо́лод пробежа́л снача́ла
о́коло ног, пото́м по тюка́м, по рука́м, по лицу́.
Тро́йка пошла́ ти́ше;° колоко́льчик за́мер,° то́чно и
он озя́б.° Послы́шался плеск° воды́, и под нога́ми
лошаде́й и о́коло колёс° запры́гали° звёзды, от-
ража́вшиеся° в воде́.

А мину́т че́рез де́сять ста́ло так темно́, что уж не́
было ви́дно ни звёзд, ни полуме́сяца. Э́то тро́йка
въе́хала в лес. Колю́чие° ело́вые° ве́тви то и де́ло
би́ли студе́нта по фура́жке, и паути́на° сади́лась ему́
на лицо́. Колёса и копы́та° стуча́ли по корневи́щам,°
и таранта́с пока́чивался, как пья́ный.

— Вези́° по доро́ге! — сказа́л серди́то почтальо́н.
— Что по кра́ю везёшь? Мне всю ро́жу ве́тками
расцара́пало![3] Бери́° праве́й!

Но тут едва́ не произошло́ несча́стье. Таранта́с
вдруг подскочи́л,° то́чно его́ передёрнула° су́дорога,°
задрожа́л° и с ви́згом,° си́льно накре́ниваясь° то
впра́во, то вле́во, с стра́шной быстрото́й понёсся° по
про́секе.° Ло́шади чего́-то испуга́лись и понесли́.

— Тпррр!° Тпррр! — испу́ганно закрича́л ямщи́к.
— Тпррр... дья́волы!

Подска́кивавший° студе́нт, чтобы сохрани́ть° рав-
нове́сие° и не вы́лететь из таранта́са, нагну́лся° вперёд и стал иска́ть, за что бы ухвати́ться, но ко́жаные°
тюки́ бы́ли ско́льзки,° и ямщи́к, за по́яс° кото́рого
ухвати́лся бы́ло студе́нт, сам подска́кивал и ка́ждое
мгнове́ние гото́в был свали́ться.° Сквозь шум колёс
и визг таранта́са послы́шалось, как слете́вшая°

плетни́°	wattle fence огоро́дов° vegetable garden
вётлы,°	(white) willow
глу́бже°	deep
ти́ше;°	"slow" за́мер,° die down
озя́б.°	frozen плеск° splashing
колёс°	wheel запры́гали° begin to jump
отража́вшиеся°	which were reflected
Колю́чие°	prickly ело́вые° fir
паути́на°	spiderweb
копы́та°	hoof корневи́щам,° root
Вези́°	"drive"
Бери́°	"keep"
подскочи́л,°	jump up передёрнула° twist су́дорога,° convulsion
задрожа́л°	begin to tremble ви́згом,° creaking накре́ниваясь° tilting
понёсся°	dash
про́секе.°	cleared passage
Тпррр!°	whoa
Подска́кивавший°	jumping up and down сохрани́ть° keep
равнове́сие°	balance нагну́лся° lean
ко́жаные°	leather
ско́льзки,°	slippery по́яс° belt
свали́ться.°	fall off
слете́вшая°	that flew off

1. всё... mist covered (hid from view) everything
2. пахну́ло... there was a gust of dampness
3. Мне... My whole "kisser" has been scratched by the branches!

62 / Анто́н Па́влович Че́хов

са́бля звя́кнула о зе́млю,[4] пото́м немно́го погодя́[5]   strike
что́-то ра́за два глу́хо уда́рилось° позади́ таранта́са.
—Тпррр! — раздира́ющим° го́лосом крича́л   heart-rending
ямщи́к, перегиба́ясь° наза́д. — Стой!°   bending   stop
Студе́нт упа́л лицо́м на его́ сиде́нье и уши́б себе́
лоб, но то́тчас же его́ перегну́ло° наза́д, подбро́-   bend over
сило,° и он си́льно уда́рился спино́й о задо́к° таран-   throw up   back
та́са. «Па́даю!» — мелькну́ло° в его́ голове́, но в э́то   flash
вре́мя тро́йка вы́летела из ле́са на просто́р, кру́то°   sharply
поверну́ла напра́во и, застуча́в по бреве́нчатому°   log
мосту́, останови́лась как вко́панная,[6] и от тако́й вне-
за́пной° остано́вки студе́нта по ине́рции опя́ть пере-   sudden
гну́ло вперёд.
Ямщи́к и студе́нт — о́ба задыха́лись.° Почтальо́на   be short of breath
в таранта́се не́ было. Он вы́летел вме́сте с са́блей,
чемода́ном студе́нта и одни́м тюко́м.
—Стой, подле́ц!° Сто-ой! — послы́шался из ле́са   rascal
его́ крик. — Сво́лочь° прокля́тая!° — крича́л он,   "bastard"   damned
подбега́я к таранта́су, и в его́ пла́чущем го́лосе
слы́шались боль и зло́ба. — Ана́фема, чтоб ты из-
до́х![7] — кри́кнул он, подска́кивая° к ямщику́ и   running up
зама́хиваясь° на него́ кулако́м.   brandishing
—Э́кая исто́рия, Го́споди поми́луй![8] — бормо-   mutter
та́л° ямщи́к винова́тым го́лосом, поправля́я что́-то
о́коло лошади́ных морд.° — А всё чёртова° пристяж-   snout   devil's
на́я! Молода́я, прокля́тая, то́лько неде́ля, как в
упря́жке° хо́дит. Ничего́° идёт, а как то́лько с горы́[9]   harness   "all right"
— беда́!° Сса́дить° бы ей мо́рду ра́за три, так не   (there's) trouble   whack
ста́ла бы балова́ть°... Сто-ой! А, чёрт!   fool around
Пока́ ямщи́к приводи́л в поря́док лошаде́й и иска́л
по доро́ге чемода́н, тюк и са́блю, почтальо́н про-
должа́л пла́чущим, визжа́щим° от зло́бы го́лосом   screeching
осыпа́ть его́ руга́тельствами.[10] Уложи́в° кладь,°   having packed   load
ямщи́к без вся́кой на́добности° провёл лошаде́й   need
шаго́в сто, поворча́л° на беспоко́йную пристяжну́ю   grumble
и вскочи́л на ко́зла.°   coach box
Когда́ страх прошёл, студе́нту ста́ло смешно́ и

4. звя́кнула... clinked against the ground
5. немно́го погодя́ a little later
6. останови́лась... stopped dead
7. Ана́фема... Curse you, may you croak!
8. Э́кая... What a mess, Lord 'a mercy!
9. а как... as soon as you start downhill
10. осыпа́ть... shower him with curses

ве́село. Пе́рвый раз в жи́зни е́хал он но́чью на почто́-
вой тро́йке, и то́лько что пережи́тая° встря́ска,° по-   experienced shaking up
лёт почтальо́на и боль в спине́ ему́ каза́лись ин-
тере́сным приключе́нием.° Он закури́л папиро́су и   adventure
сказа́л со сме́хом:

— А ведь э́так мо́жно себе́ ше́ю сверну́ть![11] Я
едва́-едва́ не слете́л и да́же не заме́тил, как вы вы́-
летели. Вообража́ю,° кака́я езда́° должна́ быть   imagine drive
о́сенью!

Почтальо́н молча́л.

11. А ведь... Why, you can break your neck that way!

Подготовка к чтению

1. За одиннадцать лет было пережито немало интересных приключений.

2. Начинало между тем светать.

3. Было так темно, что не верилось, что скоро взойдёт солнце.

4. За окнами, вероятно, спят люди самым крепким, утренним сном.

5. Если её что-нибудь разбудит утром, то она повернётся на другой бок и заснёт ещё крепче.

6. Посторонних не велено возить.

7. Отчего же вы раньше молчали, если это вам не нравится?

8. До прихода поезда студент пил чай.

9. Почтальон одиноко шагал по платформе и глядел себе под ноги.

10. На кого он сердился?

1. Many an interesting adventure had been experienced during the eleven years.

2. Meanwhile it was beginning to grow light.

3. It was so dark that one could not believe that the sun would soon rise.

4. Behind the windows there are probably people sleeping the soundest morning sleep.

5. If something awakens her in the morning, she turns on the other side and falls into an even sounder sleep.

6. We are not allowed to transport unauthorized persons.

7. Why did you keep silent before if you didn't like it?

8. The student drank tea until the arrival of the train.

9. The postman paced alone about the platform and stared at the ground.

10. Who was he cross with?

— А вы давно́ е́здите с по́чтой? — спроси́л студе́нт.

— Оди́ннадцать лет.

— Ого́! Ка́ждый день?

— Ка́ждый. Отвезу́ э́ту по́чту и сейча́с же наза́д е́хать. А что?

За оди́ннадцать лет, при ежедне́вной° езде́, наве́рное, бы́ло пе́режито нема́ло интере́сных приключе́ний. В я́сные ле́тние и в суро́вые осе́нние но́чи и́ли зимо́ю, когда́ тро́йку с во́ем° кру́жит° зла́я мете́ль,° тру́дно убере́чься° от стра́шного, жу́ткого.° Небо́сь° не раз носи́ли ло́шади, увяза́л° в промо́ине° тарата́с, напада́ли злы́е лю́ди, сбива́ла с пути́ вью́га[1]...

— Вообража́ю, ско́лько приключе́ний бы́ло у вас за оди́ннадцать лет — сказа́л студе́нт. — Что, должно́ быть, стра́шно е́здить?

Он говори́л и ждал, что почтальо́н расска́жет ему́ что-нибудь, но тот угрю́мо° молча́л и уходи́л в свой воротни́к. Начина́ло ме́жду тем света́ть. Бы́ло незаме́тно,° как не́бо меня́ло свой цвет; оно́ всё ещё каза́лось тёмным, но уже́ видны́ бы́ли и ло́шади, и ямщи́к и доро́га. Лу́нный серп станови́лся всё беле́е и беле́е, а растяну́вшееся° под ним о́блако, похо́жее на пу́шку° с лафе́том,° чуть-чу́ть° желте́ло на своём ни́жнем кра́е. Ско́ро ста́ло ви́дно лицо́ почтальо́на. Оно́ бы́ло мо́кро от росы́,° се́ро и неподви́жно,° как у мёртвого. На нём засты́ло° выраже́ние тупо́й,° угрю́мой зло́бы, то́чно почтальо́н всё ещё чу́вствовал боль и продолжа́л серди́ться на ямщика́.

Сла́ва Бо́гу, уже́ света́ет — сказа́л студе́нт, вгля́дываясь° в его́ зло́е, озя́бшее лицо́. — Я совсе́м замёрз.° Но́чи в сентябре́ холо́дные, а сто́ит то́лько взойти́ со́лнцу,[2] и холода́ как не быва́ло. Мы ско́ро прие́дем на ста́нцию?

Почтальо́н помо́рщился° и сде́лал пла́чущее лицо́.

---

1. сбива́ла... the blizzard made [him] lose the way
2. а сто́ит... the sun need only come up

daily

howling whirl snow-
  storm
protect oneself eerie
one would expect
get stuck gully

sullenly

unnoticeable

stretched out
cannon gun carriage
  barely

dew immobile

"freeze" dull

"examining"

freeze

wince

— Как вы лю́бите говори́ть, ей-бо́гу!° — сказа́л
он. — Ра́зве не мо́жете мо́лча е́хать?

really!

Студе́нт сконфу́зился° и уж не тро́гал° его́ всю
доро́гу. У́тро наступа́ло° бы́стро. Ме́сяц побледне́л°
и сли́лся° с му́тным° се́рым не́бом, о́блако всё ста́ло
жёлто, звёзды поту́хли, но восто́к всё ещё был хо́-
лоден, тако́го же цве́та, как и всё не́бо, так что не
ве́рилось, что за ним пря́талось° со́лнце...

be embarrassed   disturb
come on   grow pale
merge   dull

be hiding

Хо́лод у́тра и утрю́мость почтальо́на сообщи́-
лись° ма́ло-пома́лу° и озя́бшему студе́нту. Он
апати́чно° гляде́л на приро́ду, ждал со́лнечного
тепла́ и ду́мал то́лько о том, как, должно́ быть,
жу́тко и проти́вно бе́дным дере́вьям и траве́ пережи-
ва́ть холо́дные но́чи. Со́лнце взошло́ му́тное, за́-
спанное и холо́дное. Верху́шки° дере́вьев не золоти́-
лись° от восходя́щего° со́лнца, как пи́шут обык-
нове́нно, лучи́° не ползли́° по земле́, и в полёте
со́нных° птиц не заме́тно бы́ло ра́дости. Какóв был
хо́лод но́чью, таки́м он оста́лся и при со́лнце...

be imparted   little by little
apathetically

top
look golden   rising
ray   creep
sleepy

Студе́нт со́нно и хму́ро° погляде́л на заве́шанные°
о́кна уса́дьбы,° ми́мо кото́рой проезжа́ла тро́йка. За
о́кнами, поду́мал он, вероя́тно, спят лю́ди са́мым
кре́пким, у́тренним сном и не слы́шат почто́вых
звонко́в, не ощуща́ют° хо́лода, не ви́дят зло́го лица́
почтальо́на; а е́сли и разбу́дит колоко́льчик каку́ю-
нибудь ба́рышню,° то она́ повернётся на друго́й бок,
улыбнётся от избы́тка° тепла́ и поко́я° и, поджа́в
но́ги, положи́в ру́ки под щёку,[3] заснёт ещё кре́пче.

gloomily   curtained off
manor house

feel

young lady
excess   peace

Погляде́л студе́нт на пруд,° кото́рый блесте́л°
о́коло уса́дьбы, и вспо́мнил о карася́х° и щу́ках,° ко-
то́рые нахо́дят возмо́жным жить в холо́дной воде́...

pond   sparkle
*fish of the genus Carassius
   pike*

— Посторо́нних не ве́лено вози́ть... — заговори́л
неожи́данно почтальо́н. — Не дозво́лено! А е́жели°
не дозво́лено, то и не́зачем° сади́ться... Да. Мне,
поло́жим,° всё равно́, а то́лько я э́того не люблю́ и
не жела́ю.

if (arch.)
there's no reason
"let's say"

— Отчего́ же вы ра́ньше молча́ли, е́сли э́то вам не
нра́вится?

Почтальо́н ничего́ не отве́тил и продолжа́л гля-
де́ть недружелю́бно,° со зло́бой. Когда́ немно́го по-
годя́ тро́йка останови́лась у подъе́зда° ста́нции,

in an unfriendly way
entrance

3. поджа́в... curling up and putting her hands under her cheek

студе́нт поблагодари́л и вы́лез из таранта́са. Почто́-
вый по́езд ещё не приходи́л. На запасно́м пути́[4]
стоя́л дли́нный това́рный° по́езд; на те́ндере[5]   freight
машини́ст и его́ помо́щник с ли́цами, вла́жными° от   moist
росы́, пи́ли из гря́зного жестяно́го° ча́йника° чай.   tin teapot
Ваго́ны, платфо́рма, ска́мьи° — всё бы́ло мо́кро и   bench
хо́лодно. До прихо́да по́езда студе́нт стоя́л у буфе́та°   refreshment bar
и пил чай, а почтальо́н, засу́нув ру́ки в рукава́, всё
ещё со зло́бой на лице́, одино́ко шага́л по плат-
фо́рме и гляде́л себе́ под ноги.

На кого́ он серди́лся? На люде́й, на нужду́,° на   poverty
осе́нние но́чи?

4. На... on the reserve track
5. те́ндер tender, *a car attached to the rear of a steam locomotive, for
which it carries coal and water*

Вопро́сы | По́чта

1

1. Чего́ ждал почтальо́н?
2. О чём приёмщик попроси́л почтальо́на?
3. Как объясни́л он свою́ про́сьбу?
4. Опиши́те почто́вую тро́йку.
5. Как опи́сан в расска́зе ямщи́к?
6. Что сказа́л приёмщик на проща́нье своему́ племя́ннику и почтальо́ну?
7. Опиши́те не́бо.
8. О чём заговори́л студе́нт?
9. Что де́лал в э́то вре́мя почтальо́н?
10. Кто отве́тил на вопро́с студе́нта?

2

1. Как измени́лась окружа́ющая карти́на, когда́ тро́йка вы́ехала из го́рода?
2. Почему́ ста́ло темно́ и тарата́с стал пока́чиваться?
3. Что случи́лось, когда́ тро́йка въе́хала в лес?
4. Что де́лал студе́нт, что́бы сохрани́ть равнове́сие?
5. Что он услы́шал сквозь шум колёс?
6. Где и как тро́йка останови́лась?
7. Где был почтальо́н?
8. Как объясни́л ямщи́к э́тот несча́стный слу́чай?
9. Что де́лал почтальо́н, пока́ ямщи́к собира́л вы́летевшие из таранта́са ве́щи?
10. Почему́ студе́нту вдруг ста́ло ве́село?

3

1. Что спроси́л студе́нт у почтальо́на?
2. На что наде́ялся студе́нт, задава́я вопро́сы почтальо́ну?
3. Как измени́лось не́бо, когда́ на́чало света́ть?
4. Како́е выраже́ние бы́ло на лице́ у почтальо́на?
5. Что отве́тил почтальо́н на после́дний вопро́с студе́нта?
6. Как поде́йствовали на студе́нта хо́лод у́тра и угрю́мость почтальо́на?

7. Како́е бы́ло у́тро?
8. О чём ду́мал студе́нт, когда́ тро́йка проезжа́ла ми́мо уса́дьбы?
9. Чем мо́жно объясни́ть плохо́е настрое́ние почтальо́на?
10. Что де́лали студе́нт и почтальо́н в ожида́нии по́езда?
11. Как вы ду́маете, что хоте́л сказа́ть Че́хов э́тим расска́зом?
12. Понра́вился ли вам э́тот расска́з и почему́?

ИВА́Н АЛЕКСЕ́ЕВИЧ БУ́НИН
(*1870–1953*)

Vladimir Nabokov, who in his early years as a writer seemed to admire Bunin very much and was influenced by him, later described his prose as too rich, as "brocaded." While this may be true of some of Bunin's descriptive passages, of his lush descriptions of nature especially and also of his lyrical effusions, it does not apply to some of his best stories, in which, as in the one selected by us, there is a quality of tautness, of wiriness.

Bunin's favorite writer was Tolstoy, but although one may see Tolstoy's influence reflected in Bunin's intense preoccupation—almost obsession—with the themes of death and love (the two being sometimes interrelated), Bunin's artistic "handwriting" is on the whole quite unlike Tolstoy's. In some ways it rather recalls Turgenev's and even Aksakov's, and in others that of Chekhov, whom Bunin also admired very much and to whom he devoted his last (unfinished) book. There is, however, more color in Bunin: compared to Chekhov's, his prose is certainly richer and more fullblooded; and a story like the one below could hardly have been written by Chekhov, quite apart from the fact that Chekhov as a writer was really at home only in the Russia of his own time. Though plot and incident play a relatively small part in many of Bunin's stories (some of which are almost poems in prose) and his novels are almost free from "invention" (particularly his great, frankly autobiographical masterpiece Жизнь Арсе́ньева), there are several that have a dramatic tenseness despite their apparent plotlessness. "Ночлег" is one of the most effective of them. The three characters of the story—or four if we count the dog—stand out with great clarity, though presented mainly externally, without any psychologizing. And the sultry atmosphere of the Spanish countryside, which is described laconically and effectively, provides an appropriate background for the story. The story belongs to Bunin's émigré period and was written in France, where he made his home after the Bolshevik Revolution in Russia.

In 1933 Bunin was awarded the Nobel Prize in literature—the first Russian writer to be so honored. This did not prevent him from dying in relative poverty. From 1927 until a couple of years after his death none of his works were published in Russia. His literary "rehabilitation" came at the Second Congress of Soviet Writers in December, 1954, and though little mention is made even now of his Nobel Prize (it is still implied that the award was due to the anti-Soviet bias of the Swedish Academy, which gave Bunin preference over Gorky), Bunin is regarded today as one of the classic writers of Russian literature. Several editions of his works have appeared since 1954, and preparations are in progress to mark the centenary of his birth. But some of his writings—for example, his diary kept under the Bolsheviks in Odessa ("Окаянные дни")—remain under a ban, and cuts have been made for purely ideological reasons even in **Жизнь Арсéньева**.

One of Bunin's most famous stories is "Господин из Сан Франциско," of which the English version was done with the collaboration of D. H. Lawrence. D. S. Mirsky described it as "a masterpiece of artistic economy and austere, 'Doric' expression." The same if not greater economy and terseness characterize on a different thematic level the story included in this volume.

Подгото́вка к чте́нию

1. В темноте́ таи́нственно плы́ли светляки́, ме́рно погаса́я и ме́рно вспы́хивая.

2. Он очну́лся и натяну́л пово́дья.

3. На э́тот стук вы́шла стару́ха, кото́рую мо́жно бы́ло приня́ть за ни́щую.

4. Соба́ка то́тчас вся подала́сь вперёд.

5. Де́вочка опа́сливо коси́лась на чёрную соба́ку.

6. Что же до ку́шанья, то пусть гость не взы́щет.

7. Ни́жний эта́ж дели́лся сеня́ми на две полови́ны.

8. Его́ но́ги бы́ли обу́ты в то́лстые ко́жаные башмаки́.

9. Де́вочка то и де́ло пуга́лась от его́ бы́стрых, внеза́пных взгля́дов.

10. На его́ тёмном лице́ выделя́лись синева́тые белки́.

1. The fireflies floated mysteriously in the darkness, regularly going out and flaring up.

2. He came to his senses and pulled on the reins.

3. At this noise an old woman came out who could be taken for a beggar.

4. The dog immediately strained forward.

5. The girl was glancing apprehensively at the black dog.

6. As for the food, let the visitor be not too demanding.

7. The lower floor was divided into two halves by a passageway.

8. His feet were shod in thick leather shoes.

9. The girl was continually being frightened by his swift, sudden glances.

10. The bluish whites of his eyes stood out in his dark face.

Ночлёг°   overnight stop

1

Э́то случи́лось в одно́й глухо́й° гори́стой° ме́стности° на ю́ге Испа́нии.

Была́ ию́ньская ночь, бы́ло полнолу́ние,° небольша́я луна́ стоя́ла в зени́те,° но свет её, слегка́° розова́тый, как э́то быва́ет в жа́ркие но́чи по́сле кра́тких° дневны́х ли́вней,° столь° обы́чных в по́ру цвете́ния ли́лий,[1] всё же так я́рко озаря́л° перева́лы° невысо́ких гор, покры́тых низкоро́слым° ю́жным ле́сом, что глаз я́сно различа́л° их до са́мых горизо́нтов.

У́зкая доли́на° шла ме́жду э́тими перева́лами на се́вер. И в тени́° от их возвы́шенностей° с одно́й стороны́, в мёртвой тишине́ э́той пусты́нной° но́чи, однообра́зно° шуме́л го́рный пото́к° и таи́нственно° плы́ли и плы́ли, ме́рно погаса́я и ме́рно вспы́хивая то амети́стом, то топа́зом, летучие° светляки́,° лючио́ли.° Противополо́жные° возвы́шенности отступа́ли° от доли́ны и по ни́зменности° под ни́ми пролега́ла° дре́вняя° камени́стая доро́га. Столь же° дре́вним каза́лся на ней, на э́той ни́зменности, и тот ка́менный городо́к, куда́ в э́тот уже́ дово́льно по́здний час ша́гом° въе́хал на гнедо́м° жеребце́,° припада́вшем на пере́днюю пра́вую но́гу,[2] высо́кий марока́нец° в широ́ком бурну́се из бе́лой ше́рсти° и в марока́нской фе́ске.°

Городо́к каза́лся вы́мершим,° забро́шенным.° Да

---

remote mountainous
region
full moon
zenith slightly
brief
shower so
illumine pass
undersized
distinguish
valley
shade height
deserted
monotonously stream mysteriously
flying firefly
lucciola (*It.*) opposite
recede lowland
lie ancient
Столь... just as
at a walking pace bay stallion
Moroccan wool
fez
"dead" deserted

---

1. в по́ру... at the time of the flowering of the lilies
2. припада́вшем... lame in the right foreleg

он и был таки́м. Марока́нец прое́хал сперва́ по тени́-
стой° у́лице, ме́жду ка́менными о́стовами° домо́в,
зия́вших° чёрными пусто́тами° на ме́сте о́кон, с
одича́вшими° сада́ми за ни́ми. Но зате́м вы́ехал на
све́тлую пло́щадь, на кото́рой был дли́нный водоём°
с наве́сом,° це́рковь с голубо́й ста́туей Мадо́нны
над порта́лом, не́сколько домо́в ещё обита́емых,° а
впереди́, уже́ на вы́езде,° постоя́лый двор.[3] Там, в
ни́жнем этаже́, ма́ленькие о́кна бы́ли освещены́,° и
марока́нец, уже́ дрема́вший,° очну́лся и натяну́л по-
во́дья, что заста́вило хрома́вшую° ло́шадь бодре́й
застуча́ть[4] по уха́бистым° камня́м пло́щади.

    На э́тот стук вы́шла на поро́г° постоя́лого двора́
ма́ленькая, то́щая° стару́ха, кото́рую мо́жно бы́ло
приня́ть за ни́щую, вы́скочила° круглоли́кая° де́воч-
ка лет пятна́дцати, с чо́лкой° на лбу,° в эспадри́льях
на бо́су но́гу,[5] в лёгоньком° пла́тьице цве́та блёклой°
глици́нии,° подняла́сь лежа́вшая у поро́га огро́мная
чёрная соба́ка с гла́дкой° ше́рстью° и коро́ткими,
торчко́м° стоя́щими уша́ми. Марока́нец спе́шился°
во́зле поро́га, и соба́ка то́тчас вся подала́сь вперёд,
сверкну́в° глаза́ми и сло́вно° с омерзе́нием° оска́лив°
бе́лые стра́шные зу́бы. Марока́нец взмахну́л° пле́-
тью,° но де́вочка его́ предупреди́ла:°

    — Не́гра! — зво́нко° кри́кнула она́ в испу́ге,° —
что с тобо́й?

    И соба́ка, опусти́в° го́лову, ме́дленно отошла́ и
легла́, мо́рдой° к стене́ до́ма.

    Марока́нец сказа́л на дурно́м° испа́нском языке́
приве́тствие° и стал спра́шивать, есть ли в го́роде
кузне́ц,° — за́втра ну́жно осмотре́ть° копы́то° ло́-
шади, — где мо́жно поста́вить её на́ ночь и найдётся
ли корм° для неё, а для него́ како́й-нибудь у́жин?
Де́вочка с живы́м° любопы́тством° смотре́ла на его́
большо́й рост° и небольшо́е, о́чень сму́глое° лицо́,
изъе́денное° о́спой,° опа́сливо коси́лась на чёрную
соба́ку, лежа́вшую сми́рно,° но как бу́дто оби́жен-
но;° стару́ха, туга́я на́ ухо,[6] поспе́шно° отвеча́ла
крикли́вым° го́лосом: кузне́ц есть, рабо́тник спит на

shady   skeleton
gaping   "gaps"
grown wild

reservoir
shed
inhabited
"outskirts"
lighted up
dozing
limping
bumpy
threshold
skinny
jump out   round-faced
bangs (of hair)   forehead
light (*dim.*)   faded
wisteria
smooth   hair
upright   dismount

flashing   as if   loathing
   baring
wave
whip   forestall

in a ringing voice   fright

lowering
muzzle
poor
greeting
blacksmith   examine   hoof

fodder
lively   curiosity
height   swarthy
"eaten"   smallpox
quietly
offended   hurriedly
loud and shrill

3. постоя́лый двор   inn
4. бодре́й...   to step more lively
5. на бо́су но́гу   on bare feet
6. туга́я на́ ухо   hard of hearing

скóтном дворé[7] ря́дом с дóмом, но онá сейчáс егó разбýдит° и отпýстит° кóрму для лóшади, что же до кýшанья, то пусть гость не взы́щет: мóжно сжáрить яи́чницу с сáлом,[8] но от ýжина остáлось тóлько немнóго холóдных бобóв° да рагý° из овощéй... И чéрез полчасá, упрáвившись° с лóшадью при пóмощи рабóтника, вéчно° пья́ного старикá, марокáнец ужé сидéл за столóм в кýхне, жáдно° ел и жáдно пил желтовáтое бéлое винó.

    Дом постоя́лого дворá был стари́нный.° Ни́жний этáж егó дели́лся° дли́нными сеня́ми в концé котóрых былá крутáя° лéстница° в вéрхний этáж, на две половины: налéво простóрная,° ни́зкая кóмната с нáрами° для простóго лю́да,° напрáво такáя же простóрная, ни́зкая кýхня, и вмéсте с тем столóвая, вся по потолкý и по стенáм гýсто° закопчёная° ды́мом, с мáленькими и óчень глубóкими по причи́не[9] óчень тóлстых стен óкнами, с очагóм° в дáльнем° углý, с грýбыми° гóлыми° столáми и скáмьями° вóзле них, скóльзкими° от врéмени, с кáменным нерóвным° пóлом. В ней горéла° кероси́новая лáмпа, свисáвшая° с потолкá на почернéвшей° желéзной° цепи́,° пáхло° тóпкой° и горéлым сáлом, — старýха развелá° на очагé огóнь, разогрéла° проки́сшее° рагý и жáрила для гóстя яи́чницу, покá он ел холóдные бобы́, поли́тые ýксусом и зелёным оли́вковым мáслом.[10] Он не раздéлся, не снял бурнýса, сидéл, широкó расстáвив° нóги, обýтые в тóлстые кóжаные башмаки́, над котóрыми бы́ли ýзко схвáчены° по щи́колке° широ́кие штаны́° из той же бéлой шéрсти. И дéвочка, помогáя старýхе и прислýживая° емý, то и дéло пугáлась от егó бы́стрых, внезáпных взгля́дов на неё, от егó синевáтых белкóв, выделя́вшихся на сухóм° и ря́бом° тёмном лицé с ýзкими губáми.° Он и без тогó был стрáшен ей. Óчень высóкий рóстом, он был ширóк от бурнýса, и тем мéньше казáлась егó головá в фéске. По углáм егó вéрхней губы́ курчáвились° жёсткие° чёрные вóлосы. Курчáвились такие

wake	supply
bean	stew (ragout)
"having taken care of"	
eternally	
greedily	
ancient	
be divided	
steep	stairs
spacious	
plank bed	folk
densely	"blackened"
hearth	far
crude	bare	bench
slippery	
uneven	burn
hanging	blackened	iron
chain	smell	"fire"
"start"	warm	turned sour
spreading	
"gathered"	
ankle (*col.*)	trousers
serving	
lean	pock-marked	lip
curl	coarse

7. на скóтном дворé   in the barnyard
8. сжáрить...   fry eggs and bacon
9. по причи́не   because of
10. поли́тые...   with vinegar and green olive oil poured over

же ко́е-где́° и на подборо́дке.° Голова́ была́ слегка́
отки́нута° наза́д, отчего́ осо́бенно торча́л кру́пный°
кады́к° в оли́вковой ко́же.° На то́нких, почти́ чёрных
па́льцах беле́ли сере́бряные° ко́льца.° Он ел, пил и
всё вре́мя молча́л.°

here and there   chin
"thrown"   prominent
Adam's apple   skin
silver   ring
be silent

Подготóвка к чтéнию

1. Её брат ýмер вóсемь лет томý назáд и всё завещáл ей в пожúзненное владéние.

2. Он затянýлся папирóсой.

3. Старýха перешлá от болтлúвости к рéзкой крáткости.

4. Онá опя́ть пустúлась в жáлобы на плохúе делá.

5. Ты мóжешь тепéрь же счесть, скóлько с меня́ слéдует.

6. Онá лóвко вильнýла в темнотé мúмо крýглого столá посредú кóмнаты.

7. Собáка привязáлась к ней с той прéданностью, на котóрую спосóбны тóлько собáки.

8. Дéвочка пожáла плечóм.

9. Обы́чно онá не обращáла внимáния на постоя́льцев дворá.

10. Моглá быть и другáя причúна её тревóги.

1. Her brother died eight years ago and bequeathed everything to her for life.

2. He inhaled the cigarette.

3. The old woman switched from talkativeness to brusque abruptness.

4. Once more she started complaining about poor business.

5. You can figure up right now how much I owe you.

6. She darted adroitly in the darkness past the round table in the middle of the room.

7. The dog became attached to her with that devotion of which only dogs are capable.

8. The girl raised a shoulder.

9. Usually she paid no attention to the visitors at the inn.

10. There could have been another reason for her alarm.

2

Когда́ стару́ха, разогре́в рагу́ и сжа́рив яи́чницу, утомлённо° се́ла на скамью́ во́зле поту́хшего° очага́ и крикли́во спроси́ла его́, отку́да и куда́ он е́дет, он горта́нно° ки́нул° в отве́т то́лько одно́ сло́во:

wearily   extinguished

in a guttural voice   "let fall"

— Далеко́.

Съе́вши° рагу́ и яи́чницу, он помота́л° уже́ пусты́м ви́нным кувши́ном,° — в рагу́ бы́ло мно́го кра́сного пе́рцу,° — стару́ха кивну́ла° де́вочке голово́й и, когда́ та, схвати́в° кувши́н, мелькну́ла° вон° из ку́хни в её отво́ренную° дверь, в тёмные се́ни, где ме́дленно плы́ли и ска́зочно° вспы́хивали светляки́, он вы́нул° из-за па́зухи° па́чку° папиро́с, закури́л° и ки́нул всё так же кра́тко:

having eaten   wave pitcher

pepper   nod

grabbing   flash   "out"

open

fairy-like

take out   bosom (col.) pack   light up

— Вну́чка?°

granddaughter

— Племя́нница,° сирота́,° — ста́ла крича́ть стару́-ха и пусти́лась в расска́з[1] о том, что она́ так люби́ла поко́йного° бра́та, отца́ де́вочки, что ра́ди него́ оста́лась в де́вушках,[2] что э́то ему́ принадлежа́л° э́тот постоя́лый двор, что его́ жена́ умерла́ уже́ двена́дцать лет тому́ наза́д, а он сам во́семь и всё завеща́л в пожи́зненное владе́ние ей, стару́хе, что дела́ ста́ли о́чень пло́хи в э́том совсе́м опусте́вшем° городке́...

niece   orphan

deceased

belong

deserted

Марока́нец, затя́гиваясь папиро́сой, слу́шал рас-се́янно,° ду́мая что́-то своё. Де́вочка вбежа́ла с по́л-ным кувши́ном, он, взгляну́в° на неё, так кре́пко° затяну́лся оку́рком,° что обжёг° ко́нчики° о́стрых чёрных па́льцев, поспе́шно закури́л но́вую папиро́су и разде́льно° сказа́л, обраща́ясь° к стару́хе, глухоту́° кото́рой уже́ заме́тил:

distractedly

glancing   "deeply"

butt   burn   tip

distinctly   addressing deafness

— Мне бу́дет о́чень прия́тно, е́сли твоя́ племя́н-ница сама́ нальёт° мне вина́.

pour

— Э́то не её де́ло, — отре́зала° стару́ха, легко́ переходи́вшая от болтли́вости к ре́зкой кра́ткости, и ста́ла серди́то крича́ть:

"snap"

— Уже́ по́здно, допива́й° вино́ и иди́ спать, она́

drink up

1. пусти́лась в расска́з   started telling
2. оста́лась в де́вушках   remained a spinster

сейча́с бу́дет стели́ть тебе́ посте́ль[3] в ве́рхней ко́мнате.

Де́вочка оживлённо° блесну́ла° глаза́ми и, не дожида́ясь° приказа́ния,° опя́ть вы́скочила вон, бы́стро зато́пала° по ле́стнице наве́рх.

— А вы о́бе где спи́те? — спроси́л марока́нец и слегка́ сдви́нул° фе́ску с по́тного° лба. — То́же наверху́?

Стару́ха закрича́ла, что там сли́шком жа́рко ле́том, что когда́ нет постоя́льцев,° — а их тепе́рь почти́ никогда́ нет! — они́ спят в друго́й ни́жней полови́не до́ма, — вот тут, напро́тив, — указа́ла° она́ руко́й в се́ни и опя́ть пусти́лась в жа́лобы на плохи́е дела́ и на то, что всё ста́ло о́чень до́рого и что поэ́тому понево́ле° прихо́дится° брать до́рого и с прое́зжих°...

— Я за́втра уе́ду ра́но, — сказа́л марока́нец, уже́ я́вно° не слу́шая её. — А у́тром ты дашь мне то́лько ко́фе. Зна́чит, ты мо́жешь тепе́рь же счесть, ско́лько с меня́ сле́дует, и я сейча́с же расплачу́сь° с тобо́й. — Посмо́трим то́лько, где у меня́ ме́лкие де́ньги,[4] — приба́вил° он и вы́нул° из-под бурну́са мешо́чек° из кра́сной мя́гкой ко́жи, развяза́л,° растяну́л° реме́шо́к,° кото́рый стя́гивал° его́ отве́рстие,° вы́сыпал° на стол ку́чку° золоты́х моне́т° и сде́лал вид,[5] что внима́тельно счита́ет их, а стару́ха да́же привста́ла° со скамьи́ во́зле очага́, гля́дя° на моне́ты округли́вшимися° глаза́ми.

Наверху́ бы́ло темно́ и о́чень жа́рко. Де́вочка отвори́ла° дверь в ду́шную,° горя́чую темноту́, в кото́рой о́стро свети́лись° ще́ли° ста́вней,° закры́тых за двумя́ таки́ми же ма́ленькими, как и внизу́, о́кнами, ло́вко вильну́ла в темноте́ ми́мо кру́глого стола́ посреди́ ко́мнаты, отвори́ла окно́ и, толкну́в,° распахну́ла° ста́вни на сия́ющую° лу́нную ночь, на огро́мное све́тлое не́бо с ре́дкими° звёздами. Ста́ло ле́гче дыша́ть,° стал слы́шен пото́к в доли́не. Де́вочка вы́сунулась° из окна́, чтобы взгляну́ть на луну́, неви́дную° из ко́мнаты, стоя́вшую всё ещё о́чень вы-

	animatedly flash
	waiting order
	stamp
	shove back sweaty
	"inn guest"
	point
	willy-nilly have to
	traveler
	obviously
	"settle up"
	add take out bag (*dim.*)
	untie loosen
	thong tighten opening "empty out"
	pile (*dim.*) coin
	rise up
	looking
	had become round
	open stuffy
	shine slit shutter
	pushing
	fling open glittering
	sparse
	breathe
	lean out
	not visible

3. стели́ть...   make your bed
4. ме́лкие де́ньги   change
5. сде́лал вид   pretended

соко́, пото́м взгляну́ла вниз: внизу́ стоя́ла и, подня́в мо́рду, гляде́ла на неё соба́ка, приблу́дным° щенко́м° забежа́вшая отку́да-то лет пять тому́ наза́д на постоя́лый двор, вы́росшая° на её глаза́х и привяза́вшаяся к ней с той пре́данностью, на кото́рую спосо́бны то́лько соба́ки.

— Не́гра, — шо́потом° сказа́ла де́вочка, — почему́ ты не спишь?

Соба́ка сла́бо взви́згнула,° мотну́в° вверх мо́рдой, и ки́нулась° к отво́ренной две́ри в се́ни.

— Наза́д, наза́д! — поспе́шным шо́потом приказа́ла де́вочка. — На ме́сто!

Соба́ка останови́лась и опя́ть подняла́ мо́рду, сверкну́в кра́сным огонько́м глаз.[6]

— Что тебе́ на́до? — ла́сково° заговори́ла де́вочка, всегда́ разгова́ривавшая° с ней как с челове́ком.
— Почему́ ты не спишь, глу́пая? Э́то луна́ так трево́жит° тебя́?

Как бы жела́я° что-то отве́тить, соба́ка опя́ть потяну́лась° вверх мо́рдой, опя́ть ти́хо взви́згнула. Де́вочка пожа́ла плечо́м. Соба́ка была́ для неё то́же са́мым бли́зким, да́же еди́нственным бли́зким суще-ство́м° на све́те, чу́вства° и по́мыслы° кото́рого каза́лись ей почти́ всегда́ поня́тными. Но что хоте́ла вы́разить° соба́ка сейча́с, что её трево́жило ны́нче,° она́ не понима́ла и потому́ то́лько стро́го погрози́ла° па́льцем и опя́ть приказа́ла притво́рно°-серди́тым шо́потом:

— На ме́сто, Не́гра! Спать!

Соба́ка легла́, де́вочка ещё немно́го постоя́ла у окна́, поду́мала о ней... Возмо́жно, что её трево́жил э́тот стра́шный марока́нец. Почти́ всегда́ встреча́ла она́ постоя́льцев двора́ споко́йно, не обраща́ла внима́ния да́же на таки́х, что с ви́ду° каза́лись разбо́йниками,° ка́торжниками.° Но всё же случа́лось, что на не́которых кида́лась° она́ почему́-то как бе́шеная,° с громовы́м° рёвом,° и тогда́ то́лько она́ одна́ могла́ смири́ть° её. Впро́чем° могла́ быть и друга́я причи́на её трево́ги, её раздраже́ния° — э́та жа́ркая, без мале́йшего° движе́ния° во́здуха и така́я ослепи́тельная,° полнолу́нная ночь.

6. сверкну́в... the red light of its eyes flashing

stray	
puppy	
which grew up	
whisper	
whine "jerking"	
dash	
gently	
who spoke	
trouble	
wishing	
stretch	
being feeling thought	
express today (col.)	
"shake"	
make-believe	
appearance	
robber convict	
attack mad	
thunderous howl	
restrain however	
irritation	
slight movement	
blinding	

Подгото́вка к чте́нию

1. У пра́вой от вхо́да стены́, изголо́вьями к ней, стоя́ли три крова́ти.

2. Я не зна́ю, куда́ мне идти́. Проводи́ меня́.

3. Он что́-то говори́л, но нельзя́ бы́ло разобра́ть что̀.

4. Его́ совсе́м не́чего боя́ться.

5. Тебя́ никто́ не возьмёт за́муж без прида́ного.

6. Чего́ же он так зли́лся, когда́ она́ вошла́?

7. Я ему́ сказа́ла, что́бы он не вме́шивался в чужи́е дела́.

8. Он влюби́лся в неё без па́мяти.

9. Он мгнове́нно зажа́л ей рот руко́й.

10. Соба́ка сби́ла его́ с ног на́ пол.

1. Along the wall to the right of the entrance stood three beds with their heads against the wall.

2. I don't know where I am to go. Show me the way.

3. He was saying something, but it was impossible to make out what.

4. There is no reason at all to be afraid of him.

5. No one will marry you without a dowry.

6. Why was he so angry when she walked in?

7. I told him not to meddle in other people's business.

8. He fell madly in love with her.

9. He instantly stopped her mouth with his hand.

10. The dog knocked him off his feet onto the floor.

3

Хорошо́ слы́шно бы́ло в необыкнове́нной тишине́ э́той но́чи, как шуме́л пото́к в доли́не, как ходи́л, то́пал° копы́тцами° козёл,° жи́вший на ско́тном дворе́, как вдруг кто́-то, — не то ста́рый мул° постоя́лого двора́, не то жеребе́ц марока́нца, — со сту́ком лягну́л° его́, а он так гро́мко и га́дко° забле́ял,° что, каза́лось, по всему́ ми́ру раздало́сь° э́то дья́вольское бле́яние. И де́вочка ве́село отскочи́ла° от окна́, раствори́ла° друго́е, распахну́ла и там ста́вни. Су́мрак° ко́мнаты стал ещё светле́е. Кро́ме стола́, в ней стоя́ли у пра́вой от вхо́да стены́, изголо́вьями к ней, три широ́ких крова́ти, кры́тые то́лько гру́быми простыня́ми.° Де́вочка отки́нула° простыню́ на пе́рвой от вхо́да крова́ти, попра́вила изголо́вье, вдруг ска́зочно освети́вшееся прозра́чным,° не́жным голубова́тым све́том: э́то был светля́к, се́вший° на её чо́лку. Она́ провела́° по ней руко́й, и светля́к, мерца́я° и погаса́я, поплы́л по ко́мнате. Де́вочка лего́нько запе́ла° и побежа́ла вон.

В ку́хне во весь свой рост[1] стоя́л спино́й к ней марока́нец и что́-то негро́мко, но насто́йчиво° и раздражённо говори́л стару́хе. Стару́ха отрица́тельно° мота́ла° голово́й. Марока́нец вздёрнул° плеча́ми и с таки́м зло́бным° выраже́нием лица́ оберну́лся° к воше́дшей° де́вочке, что она́ отшатну́лась.°

— Гото́ва посте́ль? — горта́нно кри́кнул он.

— Всё гото́во, — торопли́во° отве́тила де́вочка.

— Но я не зна́ю, куда́ мне идти́. Проводи́ меня́.

— Я сама́ провожу́ тебя́, — серди́то сказа́ла стару́ха. — Иди́ за мной.

Де́вочка послу́шала, как ме́дленно то́пала она́ по круто́й ле́стнице, как стуча́л за ней башмака́ми марока́нец, и вы́шла нару́жу.° Соба́ка, лежа́вшая у поро́га, то́тчас вскочи́ла,° взвила́сь° и, вся дрожа́° от ра́дости и не́жности,° лизну́ла° её в лицо́.

— Пошла́ вон,[2] пошла́ вон, — зашепта́ла° де́вочка,

	stamp hoof (*dim.*) billy goat
	mule
	kick vilely
	begin to bleat resound
	jump back
	open
	dusk
	sheet fold back
	transparent
	had alighted pass
	twinkling
	begin to sing
	insistently
	negatively shake "hitch up"
	malevolent turn around
	who had entered recoil
	hastily
	outside
	jump up leap up trembling
	tenderness lick
	whisper

1. во весь... at his full height
2. пошла́... go away

ла́сково оттолкну́ла° её и се́ла на поро́ге. Соба́ка push off
то́же се́ла на за́дние ла́пы,° и де́вочка обняла́° её за paw embrace
ше́ю,° поцелова́ла в лоб и ста́ла пока́чиваться° neck rock
вме́сте с ней, слу́шая тяжёлые шаги́ и горта́нный
го́вор° марока́нца в ве́рхней ко́мнате. Он что́-то уже́ talking
споко́йнее говори́л стару́хе, но нельзя́ бы́ло разо-
бра́ть что. Наконе́ц он сказа́л гро́мко:

— Ну, хорошо́, хорошо́! То́лько пусть она́ при-
несёт мне воды́ для питья́° на́ ночь. drinking

И послы́шались шаги́ осторо́жно сходи́вшей° по coming down
ле́стнице стару́хи.

Де́вочка вошла́ в се́ни навстре́чу ей и твёрдо° firmly
сказа́ла:

— Я слы́шала, что он говори́л. Нет, я не пойду́ к
нему́. Я его́ бою́сь.

— Глу́пости,° глу́пости, — закрича́ла стару́ха. — nonsense
Ты, зна́чит, ду́маешь, что я опя́ть сама́ пойду́ с
мои́ми нога́ми да ещё в темноте́ и по тако́й ско́льз-
кой ле́стнице? И совсе́м не́чего боя́ться его́. Он
то́лько о́чень глу́пый и вспы́льчивый,° но он до́б- quick-tempered
рый. Он всё говори́л мне, что ему́ жа́лко тебя́, что ты
де́вочка бе́дная, что никто́ не возьмёт тебя́ за́муж
без прида́ного. Да и пра́вда, како́е же у тебя́ при-
да́ное? Мы ведь совсе́м разори́лись.° Кто тепе́рь у ruin
нас остана́вливается, кро́ме ни́щих мужико́в!° peasant

— Чего́ ж он так зли́лся, когда́ я вошла́? — спро-
си́ла де́вочка.

Стару́ха смути́лась.° be embarrassed

— Чего́, чего́! — забормота́ла° она́. — Я сказа́ла mutter
ему́, что́бы он не вме́шивался в чужи́е дела́... Вот он
и оби́делся°... be offended

И серди́то закрича́ла:

— Ступа́й° скоре́й, набери́° воды́ и отнеси́ ему́. Он go get
обеща́л что́-нибудь подари́ть тебе́ за э́то. Иди́,
говорю́!

Когда́ де́вочка вбежа́ла с по́лным кувши́ном в
отво́ренную дверь ве́рхней ко́мнаты, марока́нец
лежа́л на крова́ти уже́ совсе́м разде́тый:° в све́тлом undressed
лу́нном су́мраке пронзи́тельно° черне́ли его́ пти́чьи piercingly
глаза́, черне́ла ма́ленькая ко́ротко стри́женная° cropped
голова́, беле́ла дли́нная руба́ха,° торча́ли больши́е shirt
го́лые ступни́.° На столе́ среди́ ко́мнаты блесте́л° foot gleam

большо́й револьве́р с бараба́ном° и дли́нным
ду́лом,° на крова́ти ря́дом с его́ крова́тью бе́лым
бугро́м° была́ нава́лена° его́ ве́рхняя оде́жда... Всё
э́то бы́ло о́чень жу́тко.° Де́вочка с разбе́гу[3] су́нула°
на стол кувши́н и о́прометью° ки́нулась наза́д, но
мароќа́нец вскочи́л и пойма́л° её за́ руку.

— Погоди́,° погоди́, — бы́стро сказа́л он, потя-
ну́в° её к крова́ти, сел, не выпуска́я° её руки́, и за-
шепта́л: — Сядь во́зле меня́ на мину́тку, сядь, сядь,
послу́шай... то́лько послу́шай...

Ошеломлённая,° де́вочка поко́рно° се́ла. И он
торопли́во стал кля́сться,° что влюби́лся в неё без
па́мяти, что за оди́н её поцелу́й даст ей де́сять золо-
ты́х моне́т... два́дцать моне́т... что у него́ их це́лый
мешо́чек...

И, вы́дернув° из-под изголо́вья мешо́чек кра́сной
ко́жи, трясу́щимися° рука́ми растяну́л его́, вы́сыпал
зо́лото на посте́ль, бормоча́:°

— Вот ви́дишь, ско́лько их у меня́... Ви́дишь?

Она́ отча́янно° замота́ла голово́й и вскочи́ла с
крова́ти. Но он опя́ть мгнове́нно пойма́л её и, зажа́в
ей рот свое́й сухо́й, це́пкой° руко́й, бро́сил её на кро-
ва́ть. Она́ с я́ростной° си́лой сорвала́° его́ ру́ку и
пронзи́тельно кри́кнула:

— Не́гра!

Он опя́ть сти́снул° ей рот вме́сте с но́сом, стал
друго́й руко́й лови́ть° её заголи́вшиеся° но́ги, кото-
рыми она́, брыка́ясь,° бо́льно би́ла° его́ в живо́т,° но
в ту же мину́ту услыха́л рёв ви́хрем° мча́вшейся° по
ле́стнице соба́ки. Вскочи́в на́ ноги, он схвати́л со
стола́ револьве́р, но не успе́л да́же курка́° пойма́ть,
мгнове́нно сби́тый с ног на́ пол. Защища́я° лицо́ от
па́сти° соба́ки, растяну́вшейся° на нём, обдава́вшей°
его́ о́гненным пси́ным° дыха́нием,° он метну́лся,°
вски́нул° подборо́док — и соба́ка одно́й мёртвой
хва́ткой[4] вы́рвала° ему́ го́рло.

	barrel
	muzzle
	heap piled
	sinister thrust
	headlong
	catch
	wait
	pulling letting go
	stunned submissively
	swear
	pulling out
	shaking
	muttering
	frantically
	prehensile
	violent tear away
	clench
	catch bared
	kicking strike belly
	whirlwind rushing
	trigger
	protecting
	jaws sprawling enveloping
	dog's breath jerk
	toss back
	tear out

3. с разбе́гу   at a run
4. одно́й...   with a single death grip

Вопро́сы | Ночле́г

1

1. Где происхо́дит де́йствие э́того расска́за?
2. Почему́ го́ры бы́ли хорошо́ видны́, хотя́ была́ ночь?
3. Опиши́те челове́ка, въе́хавшего в городо́к.
4. Како́й был вид у городка́?
5. Что находи́лось на пло́щади?
6. Кто встре́тил марока́нца на постоя́лом дворе́?
7. Как встре́тила его́ соба́ка?
8. О чём спроси́л марока́нец?
9. Что де́лала де́вочка в э́то вре́мя?
10. Где был и что де́лал прие́зжий че́рез полчаса́?
11. Опиши́те ку́хню на постоя́лом дворе́.
12. Что де́лала стару́ха?
13. Как был оде́т марока́нец?
14. Чего́ пуга́лась де́вочка?

2

1. Почему́ стару́ха говори́ла сли́шком гро́мким го́лосом?
2. Почему́ де́вочка вы́шла из ку́хни?
3. Что рассказа́ла стару́ха о де́вочке и о себе́?
4. Что сказа́ла стару́ха, когда́ марока́нец попроси́л, что́бы де́вочка налила́ ему́ вина́?
5. Где до́лжен был спать прие́зжий?
6. На что жа́ловалась стару́ха?
7. Почему́ марока́нец хоте́л сра́зу расплати́ться?
8. Что о́чень заинтересова́ло стару́ху?
9. Что де́лала де́вочка наверху́?
10. Кого́ она́ уви́дела, вы́сунувшись из окна́?
11. Каки́е отноше́ния бы́ли у де́вочки с соба́кой? Почему́?
12. Чего́ не могла́ поня́ть де́вочка?
13. Как объясни́ла она́ себе́ беспоко́йство соба́ки?

1. Что слы́шала де́вочка, сто́я у окна́?
2. Что она́ уви́дела на ку́хне?
3. Почему́ стару́ха сама́ проводи́ла марока́нца наве́рх?
4. Что сде́лала соба́ка, когда́ де́вочка вы́шла нару́жу?
5. О чём марока́нец попроси́л стару́ху?
6. Почему́ стару́ха посла́ла де́вочку наве́рх?
7. Что она́ сказа́ла де́вочке про марока́нца?
8. Отчего́ стару́ха смути́лась?
9. Что уви́дела де́вочка, вбежа́в в ве́рхнюю ко́мнату?
10. Почему́ она́ не могла́ сра́зу уйти́?
11. Что говори́л ей марока́нец?
12. Кого́ де́вочка позвала́ на по́мощь?
13. Что услыха́л марока́нец?
14. Почему́ он не застрели́л соба́ку?
15. Что сде́лала соба́ка?

АЛЕКСЕ́Й МИХА́ЙЛОВИЧ
РЕ́МИЗОВ
(*1877–1957*)

"Magic Russia—earthy, subterranean, and super-terranean—was, is, and will be so long as the sun shines over the vast Russian land, and more than once will she express herself in words, so long as human speech stays alive and children's eyes continue to look at the world." Thus wrote Remizov in his Introduction to the 1950 Paris edition of his book **Посолонь** (*Sunwise*), first published in 1907, from which the story about the little girl Alenushka and her furry visitor from the woods has been taken.

This story represents one side of Remizov's many-faceted work—the magic and whimsical side, or his "poetry," as D. S. Mirsky called it in his *Contemporary Russian Literature* to distinguish it from his "Dostoyevskian" prose. Remizov is one of the most important and influential representatives of what has sometimes been designated "Neo-Realism" in Russian literature. His influence on a number of young postrevolutionary writers in Russia was particularly great. He is still insufficiently known in the outside world—partly because of the problems that much of his work, written in inimitable racy Russian, presents to the translators. To choose something by Remizov that would be on the linguistic level of the students for whom this collection is meant was also quite a problem.

In later life (after being exiled in different parts of Russia in the early years of this century) Remizov made his home in St. Petersburg and became associated with the Modernist movement in Russian literature, but he was, nonetheless, born and bred in Moscow and in many ways is considered to be a Russian of the Russians. However, the Revolution drove him out of his native country and after a short spell in the Baltic countries and in Berlin he went to live in Paris, where he died in 1957. He found some recognition in the French *avant-garde* literary circles, but only a small portion of his work has been translated into foreign languages, while he is still one of those émigré Russian writers who await reintegration into their native literature—such as has been accorded to Bunin, Kuprin, and even Shmelev (very partially, it is true).

Most of Remizov's work in Russian is out of print now. It includes several novels, numerous stories, fairy tales, folk tales, retellings of old legends and works of earlier Russian literature (including some early plays), autobiographical tales, and a very stimulating study of dreams in the works of such famous Russian writers as Pushkin, Gogol, Turgenev, and Dostoyevsky. Dreams, his own and other people's, fictional and real, had a great fascination for Remizov and played an important part in his work. A day will undoubtedly come when there will be an edition of Remizov's collected, if not complete, works. And Remizov's literary legacy is still awaiting a student, though there is a book about him in Russian by Natalya Kodryanskaya (Paris, 1959), who knew him well during the last years of his life.[1]

1. Наталья Кодрянская, Алексей Ремизов (Париж, 1959).

Подгото́вка к чте́нию

1. Кра́сное пла́мя то вспы́хнет, то пога́снет.

2. Она́ ника́к не мо́жет засну́ть.

3. Нам попада́лись навстре́чу де́ти.

4. Мать гла́дит де́вочку по голо́вке.

5. Густо́й дым попо́лз по не́бу.

6. На́ши сосе́ди сего́дня переезжа́ют на да́чу.

7. Ей не́когда игра́ть с детьми́.

8. Она́ це́лый день слоня́ется из угла́ в у́гол.

9. В столо́вой за ча́ем они́ толку́ют об отъе́зде.

10. Де́вочка переверну́лась на друго́й бок и засну́ла.

1. The red flame would now flare up, now die down.

2. She just can't go to sleep.

3. We encountered some children on the way.

4. The mother strokes the girl's head.

5. Thick smoke crept across the sky.

6. Our neighbors are moving to their summer house today.

7. She has no time to play with the children.

8. The whole day she loiters about (*literally*, moves from corner to corner).

9. At tea in the dining room they talk about their departure.

10. The girl turned over on her other side and fell asleep.

Медве́дюшка°

bear cub (*dim.*)

Среди́ но́чи просну́лась Алёнушка.[1]

В де́тской° ду́шно. Ня́нька° Вла́сьевна[2] храпи́т° и задыха́ется.° Лампа́дка° нагоре́ла:° кра́сное пла́мя то вспы́хнет, то пога́снет.

nursery nurse snore choke icon lamp (dim.) smoke

Ника́к не мо́жет засну́ть Алёнушка: ей стра́шно и жа́рко.

«Па́па пришёл сего́дня по́здно, — вспомина́ется ей,[3] — я собира́лась ложи́ться спать, он и говори́т: ‹Смотри́, Алёнушка, на не́бо, звезда́ упадёт!› И мы с ма́мой до́лго стоя́ли, в окно́ гляде́ли. Звёзды таки́е ма́ленькие, а золото́й воды́ в них мно́го, как в бро́ш-ке° у ма́мы. У окна́ хо́лодно, там до́лго нельзя́ стоя́ть. Когда́ идёшь с па́пой к ра́нней обе́дне,° то́же хо́лодно и ко́локол° звони́т. А звёзд мно́го на не́бе, все они́ разгова́ривают, то́лько не слыха́ть.[4] Дя́дя говори́т, что лета́ет к ним и но́чью слу́шает, как они́ пою́т то́нко-то́нко.° Днём их нет, спят. То́же и я по-лечу́, то́лько бы доста́ть золоты́е кры́лья.° А па́па подошёл и говори́т: ‹Алёнушка, звезда́ упа́ла!› И золота́я ле́нточка° горе́ла° на не́бе и пропа́ла.° Хо́лодно тепе́рь звёздочке, где́-нибудь лежи́т и пла́чет...»

brooch

Mass

bell

(very) high-pitched

wing

ribbon (dim.) burn disappear

Алёнушке так стра́шно, заны́ла:°

whimper

— Попи́ть,° ня́ня, по-пи́-ть!

have a drink

---

1. Алёнушка *a diminutive form of* Elena
2. Вла́сьевна *a patronymic; often used alone as a familiar form of address in colloquial speech*
3. вспомина́ется ей she remembers
4. то́лько не слыха́ть only you can't hear them (*col.*)

И когда́ ня́нька подаёт ей кру́жку,° она́ жа́дно°
пьёт, вытя́гивая гу́бки.⁵

Алёнушка сверну́лась кала́чиком⁶ и засну́ла.

Она́ лети́т куда́-то, попада́ются ей навстре́чу
звёздочки, протя́гивают° свои́ золоты́е ла́пки,°
сажа́ют° её к себе́ на пле́чи и кру́жатся,° а ме́сяц
гла́дит её по голо́вке и ти́хо шёпчет° на са́мое ушко́:°

« Алёнушка, а Алёнушка, встава́й! со́лнышко°
просну́лось, встава́й, Алёнушка!»

Алёнушка щу́рит° глаза́, а всё бу́дто лети́т.

— Что тебя́ не добу́дишься,⁷ встава́й скоре́й! —
э́то ма́ма, она́ наклони́лась° над крова́ткой, щеко́чет°
Алёнушку.

А звёздочка до́лго лета́ла и упа́ла в лес, в са́мую
ча́щу,° где ста́рые е́ли° сплета́ются° мохна́тыми°
ветвя́ми,° и со́лнцу нет пути́.°

Просну́лся густо́й си́зый° дым, попо́лз по не́бу —
ко́нчилась ночь. Вы́шло со́лнце из своего́ хруста́ль-
ного° до́мика, наря́дное,° в парчёвой° ша́почке.

Прозра́чная° синегла́зая° звёздочка лежи́т у за́-
ячьей° но́рки° на мя́гких и́глах,° вдыха́ет° моро́з.

А со́лнце походи́ло-походи́ло над ле́сом и домо́й.
Подняли́сь ту́чи — ста́ло смерка́ться.° Дребез-
жа́щим го́лосом затяну́л ве́тер-ворчу́н зи́мнюю
пе́сню.⁸ Глуха́я° мете́ль прискака́ла° — кричи́т. Снег
запляса́л.°

Дре́млет° звёздочка и ка́жется ей, она́ лети́т в
хорово́де° с золоты́ми подру́гами, им ве́село, они́
хохо́чут,° как Алёнушка. И ночь ня́нькой Вла́сьев-
ной гляди́т на них.

Выставля́ли ра́мы.⁹

Це́лый день стои́т Алёнушка у раскры́того окна́.

Каки́е-то чужи́е лю́ди прохо́дят ми́мо окна́, ло-
мовы́е° трясу́тся° на колёсах, вон плетётся воз¹⁰ с

	mug greedily
	stretch out paw
	set whirl
	whisper ear (dim.)
	sun (dim.)
	squint
	bend tickle
	thicket fir tree intertwine shaggy
	branch "progress"
	bluish-grey
	crystal smartly dressed brocade
	transparent blue-eyed hare's burrow needle inhale
	get dark
	deaf come galloping
	begin to dance
	doze
	choral dance
	roar with laughter
	drayman shake

5. вытя́гивая... stretching out her lips (dim.)
6. сверну́лась... curled up
7. Что... why can't I manage to wake you up
8. Дребезжа́щим... In a rattling voice the wind-grumbler began
to sing his winter song.
9. Выставля́ли... The (second, winter) window frames were being
removed.
10. плетётся... the cart plods along

матра́цами,° стола́ми, крова́тями — на да́чу пере-
езжа́ют.

А не́бо голубо́е, чи́стое.

— Ма́ма, а когда́ мы пое́дем?

— Уберёмся,° сло́жим° всё и пое́дем да́льше, чем
про́шлым ле́том!

Ма́ма шьёт хала́тик° Серёже, и ей не́когда.

«Поскоре́й бы уе́хать!»[11] — томи́тся° Алёнушка.

На игру́шки и смотре́ть не хо́чется — деревя́нные
— зи́му напомина́ют!

До́лго накрыва́ют на стол,[12] стуча́т° таре́лками.
До́лго обе́дают. Алёнушке и ку́шать не хо́чется.
Прихо́дит дя́дя — Фёдор Ива́ныч — говори́т с
ма́мой о каки́х-то стака́нах, смеётся, дра́знится.°

Алёнушка слоня́ется из угла́ в у́гол, загля́дывает в
о́кна, капри́зничает,° да́же живо́тик° разболе́лся.°

Не дожида́ясь° па́пы, уложи́ли° её в крова́тку.

Сквозь сон слы́шит Алёнушка, как за ча́ем в
столо́вой толку́ют об отъе́зде — в дрему́чий° лес,
«где дере́вья да́же в до́ме расту́т, над кры́шей рас-
ту́т»...

Высо́кая зелёная ёлка,° я́рко освещённая разно-
цве́тными све́чками,° в бу́сах° и пря́никах,° идёт на
неё; краду́тся° из тёмных угло́в медве́ди — бе́лые и
чёрные в сере́бряных оше́йниках° с бубенца́ми° и
бараба́нами;° па́дают, лета́ют звёздочки... «А где
та?» — «Дя́дя сказа́л, что вы́растет из неё така́я же
де́вочка, как я,[13] и́ли зверу́шка».° — «И что э́то за
зверу́шка?»

— Ну, что, Алёнушка, как твой живо́тик? — э́то
па́па, он тихо́нько наклони́лся над ней и кре́стит.°

— Нет! — со́нно пищи́т° Алёнушка.

— Выздора́вливай° скоре́е, де́точка, на да́чу
за́втра е́дем: го́ры там высо́кие, а леса́ дрему́чие!

Алёнушка переверну́лась на друго́й бок, кре́пко
обняла́° поду́шку и засопе́ла.°

	mattress
	tidy up pack
	robe (*dim.*)
	fret
	rattle
	tease
	be naughty tummy start to ache
	waiting put
	dense
	Christmas tree
	candle bead cookie
	steal out
	collar bell
	drum
	little animal
	make the sign of the cross
	squeak
	get well
	embrace begin to breathe heavily

11. Поскоре́й...   May we leave as soon as possible!
12. накрыва́ют...   they set the table
13. вы́растет...   she will grow into a girl like me

Подготовка к чтению

1. Дети целыми днями бродят по лесу.

2. Раз он чуть не завяз в болоте.

3. А ему и горя мало: он только смеётся в ответ.

4. Он обычно засыпает, где попало.

5. Он пустился бежать, как угорелый.

6. Она не могла перевести дух.

7. Мать говорит: «Одна в лес не ходи, там тебя медведи съедят!»

8. Все бросились из-за стола.

9. Хозяйка усадила гостя рядом с собой.

10. Она едва сдерживает слёзы.

1. All day long, day after day, the children roam in the forest.

2. Once he almost got stuck in a swamp.

3. Nothing bothers him: he only laughs in reply.

4. He usually falls asleep just anywhere.

5. He dashed off like a crazy man.

6. She could not catch her breath.

7. Mother says, "Don't go into the forest alone; the bears there will eat you!"

8. Everybody rushed from the table.

9. The hostess seated the guest next to her.

10. She can hardly keep back her tears.

2

Ка́к-то сра́зу замо́лкли° ви́хри° и разли́вшиеся° ре́ки и задрема́ли.°

Зарде́лись° по́чки,° кое-где́ вы́глянули шёлковые° ли́стья. Седы́е° ка́менные ве́тки — оле́ний мох[1] — зазелене́лись,° разне́жились;° попо́лзли на це́пких° зелёно-ба́рхатных° ла́пках разноцве́тные лишай;° медве́жья я́года[2] оде́лась восковы́ми° цвето́чками.

Пти́цы прилете́ли, в гнёздах° запища́ли° ма́ленькие де́тки.

Просну́лась у за́ячьей но́рки звёздочка, вся покры́лась ше́рстью,° на ла́пках вы́росли о́стрые° коготки́,° и ста́ла она́ то́лстеньким,° кру́гленьким медвежо́нком.°

Хорошо́ медвежо́нку пры́гать по пням° и ко́чкам,° лома́ть су́чья,° наряжа́ться° цвета́ми. Ско́ро он нау́чится рыча́ть.°

— Сиди́те, де́тки, в гнёздах, — у́чит мать, — медве́дюшка хо́дит, укуси́ть не уку́сит, а стра́ху наберётесь большо́го.[3]

Це́лыми дня́ми бро́дит медвежо́нок по́ лесу, а то ля́жет где́-нибудь на со́лнышке и смо́трит: как муравьи́° за свое́й рабо́той копоша́тся,° как цвето́чки и тра́вки живу́т, мотыльки́° резвя́тся.°

grow silent　whirlwind
"in flood"
doze off

redden　buds　silken
grey-haired
turn green　grow soft
clinging
green-velvet　lichen
waxen

nest　begin to cheep

fur　sharp
claw (*dim.*)　chubby
bear cub

stump　hummock
twig　adorn oneself
growl

ant　swarm
butterfly　frisk about

1. оле́ний мох　reindeer moss (*Cladonia rangiferina*)
2. медве́жья я́года　bearberry (*Arctostaphylos uva-ursi*)
3. укуси́ть... as for biting, he will not bite you, but you'll get quite a fright

Полежи́т, поотдохнёт и опя́ть броди́ть, и куда́-куда́ не захо́дит: раз чуть в боло́те не завя́з, наси́лу от мо́шек отби́лся[4] — и смея́лись незабу́дки,° подд-ра́знивали,° а то повстреча́л чудо́вище°... пти́цы сказа́ли: «охо́тник».°

— Челове́ка остерега́йся,° глупы́ш!° — долби́л° дя́тел,° — они́ тебя́ це́пью° стя́нут.° Вон скворца́° из-лови́ли, за решёткой[5] тепе́рь, во́ли не даю́т. Лета́л к нему́ — «жив, пищи́т, ко́рму вдо́сталь, да ску́чно!»[6] У них всё вот так.

А медвежо́нку и го́ря ма́ло, пры́гает да гоня́ется за[7] жука́ми.° То́лько когда́ багрове́ет° не́бо и се́рые тума́ны иду́т дозо́ром° и ме́сяц выхо́дит над со́нным ле́сом, засыпа́ет он, где попа́ло, и до утра́ дры́хнет.°

Ка́к-то° заблуди́лся.° А ночь шла тёмная и ду́ш-ная. Пти́цы и зве́ри ни гу-гу[8] — но́рки и гнёзда как вы́мерли.° Ходи́л-ходи́л, ора́ть° приня́лся° — голоса́ не подаю́т.[9] Хоте́л уж под хво́рост° лечь да вспо́м-нился дя́тел.

«Ещё сца́пают,° пойду́ лу́чше!»

Пронёсся° до́лгий, урча́щий° гул,° и ли́стья за-трясли́сь.° Голубы́е змейки° пры́гали на креста́х е́лей, и что́-то тре́скалось° и би́лось° у ста́рых рога́-тых° корне́й.°

Как угоре́лый, пусти́лся медвежо́нок, бежа́л-бежа́л, исцара́пался,° дух перевести́ не мо́жет, хвать° — голоса́, огонёк.

«Пти́чье гнездо́!» — поду́мал.

А огонёк разгора́лся,° голоса́ звене́ли.°

Раздви́нул° кусты́° и ви́дит: огро́мный све́тлый зал по́лон чудо́вищ. Едя́т и что́-то лопо́чут.°

— Ты, Алёнушка, — говори́т ма́ма, — одна́ в лес не ходи́, там тебя́ медве́ди съедя́т. Фёдор Ива́ныч наме́дни° пошёл на охо́ту,° а ему́ медвежо́нок на-встре́чу, кро́хотный,° с тебя́![10]

— Па́па, — обра́довалась Алёнушка, — пойма́й ты мне э́того медвежо́нка, я игра́ть с ним бу́ду!

	forget-me-not
	tease monster
	hunter
	beware silly thing peck away
	woodpecker chain tie up starling
	beetle grow crimson
	patrol
	sleep (*col.*)
	once get lost
	die out bellow begin
	brushwood
	catch hold of (*col.*)
	sweep past rumbling boom
	shake snake (*dim.*)
	crack thrash about
	horned root
	cover oneself with scratches presto
	burn more and more brightly ring
	push apart bush
	babble
	the other day (*col.*) hunt
	tiny

4. наси́лу... with difficulty he fought off the gnats
5. за решёткой behind bars
6. ко́рму... there's plenty of food, but how boring
7. гоня́ется за chases after
8. ни гу-гу not a sound
9. го́лоса... they make no sound
10. с тебя́ about your size

А медвежо́нок, как услыха́л, зарыча́л° и вы́шел.　　growl

— Смотри́те, смотри́те, — крича́ла ма́ма, — вон медвежо́нок!

Тут все бро́сились из-за стола́, па́па суп про́лил.°　　spill

— Медве́дюшка, иди́, иди́ к нам! — у́жинать с на́ми! — пры́гала Алёнушка.

И он подошёл, нюхну́л° — о́чень уж понра́вилась　　sniff ему́ бе́ленькая де́вочка. Алёнушка усади́ла его́ ря́дом с собо́й, гла́дила мо́рдочку,° ты́кала° в нос　　snout (*dim.*)　stick бе́лый хлеб, а он ла́сково смотре́л в её све́тлые гла́зки: о́чень уста́л и напуга́лся.°　　be frightened

— Ну, вот и медвежо́нок у тебя́, игра́й с ним. А тепе́рь отправля́йся в крова́тку, и так уж засиде́лась.°　　stay up late

— И он со мной?

— Не́т уж, иди́ одна́, его́ к кусту́ па́па привя́жет.°　　tie up

Ма́ма серди́лась на па́пу за суп. И Алёнушка, едва́ сде́рживая слёзы, пошла́ в де́тскую.

До́лго не спа́лось ей, всё она́ ду́мала о медвежо́нке: как вме́сте в лес бу́дут ходи́ть, как я́годы сбира́ть° — боя́ться не́кого, никто́ не съест!　　pick

— Медве́дюшка, ми́ленький мой медве́дюшка, бе́дненький! — шепта́ла Алёнушка, засыпа́я.°　　falling asleep

Подгото́вка к чте́нию

1. Как проснётся де́вочка, пря́мо бежи́т на двор.

2. Вре́мя прохо́дит незаме́тно.

3. Она́ не о́чень води́лась с ни́ми.

4. Куда́ вы де́ли мои́ игру́шки?

5. У неё слёзы так и бегу́т.

6. Он куда́-то ушёл.

7. По всему́ до́му раздаётся шум.

8. Пти́цы улета́ют в тёплые стра́ны, оставля́я свои́ гнёзда до весны́.

9. Она́ наконе́ц откры́ла свои́ за́спанные глаза́.

10. Хоть бы Рождество́ поскоре́й!

1. As soon as the girl wakes up she runs straight outdoors.

2. Time passes imperceptibly.

3. She did not have much to do with them.

4. Where did you hide (put) my toys?

5. Her tears simply run.

6. He's gone somewhere.

7. Noise resounds all over the house.

8. The birds fly away to warm lands, leaving their nests until spring.

9. At last she opened her sleepy eyes.

10. May Christmas come as soon as possible!

3

Как проснётся Алёнушка, пря́мо бежи́т к медве-
жо́нку, отвя́жет° его́ и чего́-чего́ то́лько не де́лает:[1]
и ти́скает° и надева́ет па́пину° ста́рую шля́пу и сади́т-
ся верхо́м° и́ли во́дит за ла́пу и разгова́ривает.

Он всё понима́ет, то́лько говори́ть не мо́жет,
рычи́т.

Так незаме́тно прохо́дят дни.

С Алёнушкой хорошо́ медвежо́нку, а привя́зан-
ный он тоску́ет,° вспомина́ет птиц, звере́й.

Подошла́ о́сень, захолоде́ли но́чи. И́зредка° ста́ли
топи́ть° пе́чи.°

Медвежо́нок слы́шал, как па́па и ма́ма раз-
гова́ривали об отъе́зде домо́й, да и Алёнушка брала́
его́ за ла́пу, гла́дила, целова́ла в мо́рдочку.

— Ско́ро оди́н оста́нешься, — говори́ла она́, —
па́па и ма́ма не хотя́т тебя́ брать: ты куса́ться°
бу́дешь.

А сего́дня ма́ма сказа́ла Алёнушке, чтобы она́ не
о́чень-то води́лась с медвежо́нком.

— Фёдор Ива́ныч вон погла́дил твоего́ медве́дю-
шку, а он его́ за́ нос цап.°

«Уж не удра́ть ли в лес!»[2] — разду́мывал мед-
вежо́нок, и так ему́ тоскли́во и чего́-то бо́льно.[3]

Собира́лись уезжа́ть.

Ве́чером прие́хали го́сти, и ма́ма игра́ла на роя́ле.

Когда́ же Фёдор Ива́ныч запе́л, на́чал медвежо́нок
подвыва́ть,° рассвирепе́л,° оборва́л° оше́йник да
пря́мо в зал.

Все стра́шно перепуга́лись, сло́вно пожа́ра како́го,
бро́сились лови́ть медвежо́нка, а когда́ пойма́ли,
тя́пнул он па́пу за па́лец.[4]

Тут все закрича́ли, забрани́лись.°

— Мой медве́дюшка, не тро́ньте° его́! — крича́ла
Алёнушка.

---

1. чего́-чего́... and what didn't she do
2. «Уж... "Shouldn't I take to the woods?"
3. ему́... he felt nostalgia and pain for some reason
4. тя́пнул... he got papa by the finger

А его связа́ли° и потащи́ли.° tie up   drag

— Куда́ вы де́ли моего́ медве́дюшку? — всхли́пы-
вает° Алёнушка, вытя́гивая дли́нно свои́ оттопы́рки-
гу́бки.° sob
"protruding" lips

— Ничего́, де́точка, Христо́с с тобо́й! — утеша́ет
Вла́сьевна, — в лес его́ пу́стят ходи́ть: там ему́ спо-
со́бнее° бу́дет. Спи, Алёнушка, спи, за́втрашний
день домо́й пока́тим,° игру́шки-то поди́ соску́шни-
лись по тебе́!5 "more at home"
take off

— Не на́до мне игру́шков,6 медве́дюшка мой,
каки́е вы все-е!7

И слёзы так и бегу́т.

Ча́стые° звёзды осе́нние ти́хо перелета́ют и льют-
ся° по не́бу. profuse
flow

Ме́сяц куда́-то ушёл.

Треща́т° су́чья,° улета́ют ли́стья, гудя́т.° crackle   twig   hum

— Медве́дюшка идёт, пря́чьтесь!° — перекли-
ка́ются° пти́цы и зве́ри. hide
call to one another

С шу́мом раздвига́я ве́тви, выхо́дит медве́дь: на
ше́е обо́рванная° верёвка, торча́т клоки́ ше́рсти, на-
су́пился.8 torn off

Так подхо́дит он к берло́ге,° разрыва́ет° хво́рост,
спуска́ется в я́му:° lair   dig up
pit

— Спать заля́гу да поотдохну́ ма́лость!9

Ско́ро по всему́ ле́су раздаётся храп:° медве́дь
ла́пу сосёт° — спит. snoring
suck

Ста́ями° выпа́рхивают° пти́цы и улета́ют в тёплые стра́ны, оставля́я гнёзда до весны́. flock   take flight

Лампа́дка защу́рилась,° пы́хнула° и пога́сла. "dwindle down"   flare up

Се́рый у́тренний свет тихомо́лком° подпо́лз к
двойны́м ра́мам о́кон, загляну́л укра́дкой° в де́тскую
— и ночь поседе́ла° и ме́дленно побрела́° по потолку́
и сте́нам, и по угла́м вста́ли те́ни — му́тные° стол-
бы́.° quietly
on the sly
turn grey   start wandering
"dim"
column

Котофе́й Котофе́ич10 приподня́лся на свои́х бе́лых

---

5. игру́шки-то... your toys (at home) I dare say are lonesome for
you. Соску́шнились *is a colloquial form for* соску́чились.
6. игру́шков *a child's mistake in gender*
7. каки́е... how mean you all are
8. торча́т... tufts of fur stick out, he has a scowl (on his face)
9. Спать... I'll lie down to sleep and have a bit of rest!
10. Котофе́й Котофе́ич *a common name for a tomcat in Russian
fairy tales and a frequent character in Remizov's stories*

подушечках°-лапках, изогнулся° и, сладко зевнув,° cushion (*dim.*) "arch his
прыгнул в кроватку. back" yawning

Алёнушка испуганно затаращила° заспанные гла- goggle
за: не медведюшка ли это съесть её?

Власьевны нет. На кухне глухо стучат и ходят.

Кот подвернул° лапки, вытянул усатую° мор- tuck in   bewhiskered
дочку и запел.

Теперь совсем не страшно.

«Господи, — мечтает Алёнушка, — хоть бы Рож-
дество поскорей, а там и Пасха,[11] к заутрене° midnight Easter service
пойду, хорошо как!»

Её опухшие° за ночь губы не улыбаются, а лицо swollen
светло смеётся, словно старые волхвы° в золотых wise man
коронах° идут со звездою, большущую° тащат ёлку crown   really big
в пряниках.

11. а там... and Easter's not far off

Вопро́сы | Медве́дюшка

1

1. Почему́ Алёнушка проснула́сь среди́ но́чи и не могла́ засну́ть?
2. О чём она́ ста́ла вспомина́ть?
3. Почему́ она́ ста́ла ду́мать о звёздах?
4. Что поду́мала она́ об упа́вшей с не́ба звезде́?
5. Что присни́лось Алёнушке, когда́ она́ наконе́ц засну́ла?
6. Где оказа́лась упа́вшая звёздочка?
7. О како́й пое́здке мечта́ла Алёнушка весно́й?
8. Почему́ ей не хоте́лось смотре́ть на игру́шки?
9. Как око́нчился э́тот день для Алёнушки?
10. Что она́ слы́шала о тех места́х, куда́ они́ собира́лись е́хать на да́чу?

2

1. Как опи́сано наступле́ние весны́ в лесу́?
2. Что произошло́ с просну́вшейся звёздочкой?
3. Как медвежо́нок проводи́л свой день в лесу́?
4. О чём предупреди́л медвежо́нка дя́тел?
5. Что рассказа́л он про скворца́?
6. Расскажи́те, как медвежо́нок заблуди́лся в лесу́.
7. Почему́ он не оста́лся спать в лесу́?
8. Куда́ вы́шел он и́з лесу?
9. О чём попроси́ла Алёнушка отца́?
10. Что случи́лось, когда́ медвежо́нок вы́шел и́з лесу?

3

1. Как игра́ла Алёнушка с медвежо́нком?
2. Нра́вилось ли медвежо́нку жить у Алёнушки?
3. Что сказа́ла Алёнушке её ма́ма о́сенью?
4. О чём ду́мал медвежо́нок?
5. Что случи́лось ве́чером накану́не отъе́зда?
6. Как утеша́ла ня́ня Алёнушку?
7. О чём предупрежда́ли друг дру́га пти́цы и зве́ри?

8. Как медве́дь реши́л отдохну́ть?
9. Кто разбуди́л Алёнушку одна́жды у́тром?
10. Почему́ она́ испуга́лась?
11. О чём мечта́ла Алёнушка?

НИКОЛА́Й СТЕПА́НОВИЧ ГУМИЛЁВ
(*1886–1921*)

Like many poets of the nineteenth century and unlike most of his contemporaries, Nikolay Gumilev had a short life: at the age of thirty-five he was shot without trial on the orders of the Extraordinary Commission for Fighting Counter-Revolution (better known as *Cheka*) for alleged participation in the so-called Tagantsev conspiracy, the object of which was said to have been the overthrow of the Bolshevik regime. The list of those involved in the conspiracy included sixty other names representing people from various layers of society—scholars, lawyers, students, factory workers, Red Army soldiers, and Red Navy sailors. The complete list of those who were shot, indicating their age and social status or profession, was published a week later in the *Petrograd Pravda*. One of the charges against Gumilev was the writing of counterrevolutionary proclamations.

Gumilev could have escaped that fate and lived on as an émigré had he not returned to Bolshevik Russia in April, 1918. The October Revolution had caught him in Paris where he was attached to the Russian Expeditionary Force. But Gumilev had always sought and courted danger and adventure. His decision to return to Russia was taken after his request to be allowed to join the British in Mesopotamia had been turned down by the British authorities. Russia was at that time out of the war, but Gumilev wanted to go on fighting the enemy. Had his request been granted he might have met Lawrence of Arabia, who was something of a kindred spirit. In 1914 Gumilev had been the one and only well-known Russian writer to volunteer as a private. He fought with the Russian cavalry in World War I until the spring of 1917 and was twice awarded the St. George's cross for valor long before being promoted as an officer.

Before the war he made two expeditions to Africa—one on his own, the other under the auspices of the Russian Ethnographic Society. In his poetry, in which from the outset there was a strong strain of romantic exoticism, African motifs play an important part. Two of his books published shortly before his death are entirely inspired by Africa. One, **Шатёр** (*The Tent*), is a cycle of poems about different parts of the African continent. The other, **Мик**, is a charming tale in verse about a little Abyssinian boy and his two friends—the son of a French consul and a wise old baboon, whom they liberate from captivity.

Gumilev died in the prime of life and at the peak of his poetic power: his last two volumes of poetry, **Костёр** (*The Pyre*) and **Огненный столп** (*The Pillar of Fire*), published respectively in 1918 and 1921, are unanimously recognized as his best.

Except for a few poems in a recent anthology, none of his work has been published in Russia since 1923. Several of his volumes of poetry, however, were re-issued outside Russia in the 1920's and 1930's, and a four-volume edition of his collected works is now in progress (three volumes have appeared between 1962 and 1966). In addition to nine collections of lyrical poetry Gumilev's literary legacy includes five plays in verse, a volume of stories, and many critical articles.

Дон Жуан в Египте was first published in 1912 as part of a volume of poetry entitled **Чужое небо** (*Foreign Skies*). It is a flippant, lighthearted treatment, with a touch of romantic irony, of one of the great and popular themes of world literature. Whether Gumilev, when he wrote this play, was familiar with George Bernard Shaw's *Man and Superman* is not known.

Подгото́вка к чте́нию

1. Я ста́влю пять до́лларов.

2. Я ло́вко укры́лся в тень.

3. Тепе́рь по о́пыту ты ви́дишь, что я был прав.

4. Кака́я удиви́тельная цепь собы́тий!

5. Он всё тот же! Жизнь его́ не измени́ла.

6. Становя́сь в по́зу...

7. Я потеря́л его́ из ви́ду.

8. Мне повезло́, не так, как им.

9. Кото́рый час на ва́ших?

10. Вы мне сни́лись.

1. I bet five dollars.

2. I cleverly hid myself in the shade.

3. Now you can see by experience that I was right.

4. What an amazing chain of events!

5. He is just the same as ever! Life hasn't changed him.

6. Striking a pose...

7. I lost sight of him.

8. Unlike them I was lucky.

9. What time is it by yours (your watch)?

10. I dreamed about you.

Дон Жуа́н в Еги́пте

Одноа́ктная пье́са в стиха́х

1

Де́йствующие ли́ца:[1]
    ДОН ЖУА́Н
    ЛЕПОРЕ́ЛЛО
    АМЕРИКА́НЕЦ
    АМЕРИКА́НКА (его́ дочь)

Ме́сто де́йствия° — вну́тренность° дре́внего хра́ма°   *action interior temple*
  на берегу́ Ни́ла.
Вре́мя де́йствия — на́ши дни.

      ДОН ЖУА́Н
(выходя́° из глубо́кой рассе́лины° ме́жду плит°)[2]   *coming out cleft*
                                 stone slab
Как стра́нно! Где я? Что за бред?°   *"crazy dream"*
Ага́! Я ста́влю три черво́нца,°   *gold coin*
Что наконе́ц я ви́жу свет
Земно́го ла́скового° со́лнца.   *gentle*
Но что же де́лалось° с тех пор,   *has been going on*
Как я смея́лся с до́нной А́нной
И гро́зный° мёртвый командо́р°   *dreadful commander*
Мне ру́ку сжал° с улы́бкой стра́нной?   *grip*
Да! Мы слете́ли в глубину́,°   *depths*

1. Де́йствующие ли́ца *dramatis personae*
2. *Stage instructions are in parentheses throughout.*

Как две подстре́ленные° пти́цы,   shot down
И я уви́дел сатану́°   satan
Сквозь обагрённые° зарни́цы.°   stained crimson heat
                                                         lightning
Мой командо́р лежа́л как пень,°   stump
Его схвати́ли,° жгли,° терза́ли,°   grab burn torture
Но ло́вко я укры́лся в тень
И вы́ждал срок³ в подзе́мной° за́ле.   subterranean
Когда́ ж загре́зил° сатана́   begin to daydream
С больно́й усме́шкой,° с то́мным° взо́ром,°   grin languid gaze
Я поднима́ться стал со дна°   bottom
По ле́стницам° и коридо́рам.   stairs
Поте́л° от се́рного° огня́,°   perspire sulphurous fire
Дрожа́л° во льдах,° и мча́лись° го́ды,   shiver ice rush
И ду́хи° а́да° от меня́   spirit hell
Броса́лись в тёмные прохо́ды.°   passage
Ну, до́брый, ста́рый дон Жуа́н,
Тепе́рь по о́пыту ты ви́дишь,
Что прав был дре́вний шарлата́н,
Сказа́вший:° Знай, иди́ и вы́йдешь!   who said

(Повора́чивается° к вы́ходу)   turn

Тепе́рь на во́лю;⁴ через вал°   billow
Я ви́жу па́рус° чьей-то ло́дки;°   sail boat
Я так давно́ не целова́л
Румя́нца° ни одно́й красо́тки.°   "rosy cheek" pretty girl
Есть ло́дка, есть и челове́к,
А у него́ сестра́, неве́ста°...   bride
Приве́т,° земля́, любо́вных нег°   greetings delight
Очарова́тельное° ме́сто!   enchanting

(Вхо́дят Лепоре́лло в костю́ме тури́ста, за ним
   Америка́нец и Америка́нка)

Ба, Лепоре́лло!
        ЛЕПОРЕ́ЛЛО
                Господи́н!
Вы здесь! Кака́я цепь собы́тий!
Как сча́стлив я!..
        ДОН ЖУА́Н
                Ты не оди́н?
        ЛЕПОРЕ́ЛЛО (ти́хо)
Ах да, пожа́луйста, молчи́те.°   be silent

3. вы́ждал... bided my time
4. на во́лю out into the open

ДОН ЖУА́Н
Молча́ть? Заче́м?

ЛЕПОРЕ́ЛЛО (ти́хо)
Я объясню́
Вам всё... (Обнима́я° его́, гро́мко) Ах, друг мой!   embracing

ДОН ЖУА́Н
Прочь,° неве́жа!°   away boor

ЛЕПОРЕ́ЛЛО
Ты го́нишь?°   chase away

ДОН ЖУА́Н
Я́сно, что гоню́.

ЛЕПОРЕ́ЛЛО (Америка́нцу и Америка́нке)
Всё тот же он, мане́ры° те же.   manner

ДОН ЖУА́Н
Мане́ры? Хам!°   cad

ЛЕПОРЕ́ЛЛО (продолжа́я° его́ обнима́ть, ти́хо)   continuing
Молчи́те! О!
Не бе́йте°... (гро́мко) Ха, ха, ха, не стра́шно!   strike
(К Америка́нцу и Америка́нке)
Не измени́ла жизнь его́,
Всё тот же ми́лый, бесшаба́шный!°   carefree

АМЕРИКА́НЕЦ (ти́хо Лепоре́лло)
Но кто он? Как его́ зову́т?

ДОН ЖУА́Н (ти́хо ему́ же)
Скажи́, они́ дружны́° с тобо́ю?   friendly

АМЕРИКА́НКА (ти́хо ему́ же, ука́зывая° на Дон   pointing
Жуа́на)
Как он краси́в! Заче́м он тут?

ЛЕПОРЕ́ЛЛО (ти́хо, то тем, то други́м)
Сейча́с, сейча́с, я всё устро́ю.°   arrange
(Гро́мко, становя́сь в по́зу)
Я был его́ секретарём,
Мы с ним скита́лись° по Мадри́ду   wander
И по Севи́лье, но пото́м
Я потеря́л его́ из ви́ду.
О, пра́здной° мо́лодости° дни!   idle youth
Они́ бегу́т, они́ неве́рны,°   fickle
Так га́снут° ве́чером огни́   die out
В окне́ приве́тливой° таве́рны.   "inviting"

ДОН ЖУА́Н

Ну, не для всех.

ЛЕПОРЕ́ЛЛО (примиря́юще°)   in a conciliatory manner

Да, для меня́.
Я стал студе́нтом Салама́нки
И позабы́л день ото дня[5]
Вино́ и же́нские° прима́нки.°   feminine   wile
Пил во́ду, ел засо́хший° хлеб,   dried up
Спал на соло́менном° матра́це,°   straw   mattress
Быва́ло, месяца́ми слеп°   go blind
От е́дкой° пы́ли° диссерта́ций.   acrid   dust
Мне повезло́, не так, как тем,
Каки́м-нибу́дь там дон-Жуа́нам!
Сперва́ профе́ссором, зате́м
Я вско́ре и́збран° был дека́ном.°   was chosen   dean

АМЕРИКА́НЕЦ (почти́тельно°)   respectfully

Мы зна́ем, да.

ЛЕПОРЕ́ЛЛО

К студе́нтам строг°   strict
И враг беспо́чвенных° уто́пий,   groundless
Я, господа́, египто́лог,°   Egyptologist
Изве́стнейший° во всей Евро́пе.   most renowned

АМЕРИКА́НКА

Так говори́лось на бала́х
В Чика́го.

ДОН ЖУА́Н

Сто́ило труди́ться![6]

ЛЕПОРЕ́ЛЛО

И вот, когда́ я на нога́х,
Я наконе́ц могу́ жени́ться.°   get married

(Представля́я° Америка́нку)   introducing

Мисс По́кэр, гра́ции° приме́р,°   grace   example
Она́ моя́ неве́ста, бла́го°   seeing that
Вот ми́стер По́кэр, милльоне́р,
Торго́вец сви́ньями[7] в Чика́го.

(Представля́я дон Жуа́на)

Друзья́ мои́, вот дон Жуа́н,

5. день ото дня   with every (passing) day
6. Сто́ило...   Now *that* was something to work for!
7. Торго́вец...   hog dealer

Друг ю́ности° мое́й беспе́чной,°   youth   carefree
Он иногда́ быва́ет пьян,
И ма́лый° гру́бый°... но серде́чный.°   fellow   coarse   genial

АМЕРИКА́НЕЦ

Что ж, ми́стер дон Жуа́н, вы нас,
Сойдя́сь,° полю́бите наве́рно...   getting closer
Скажи́те мне, кото́рый час
На ва́ших, у меня́ неве́рны.°   incorrect

(Ука́зывая на Америка́нку)

Моя́ еди́нственная дочь,
Мать умерла́, она́ на во́ле,[8]
Но с не́ю я; она́ точь в то́чь[9]
Моя́ сконча́вшаяся° По́лли.   who passed away
Тепе́рь уе́хал я на юг,
Но всё не позабы́ть утра́ты!°   loss
Скажи́те мне, мой ю́ный друг,
Уже́ль° ещё вы не жена́ты?   really

ДОН ЖУА́Н (подходя́° к Америка́нке)   approaching
Сенью́ра!

АМЕРИКА́НКА (поправля́я° его́)   correcting
Мисс.

ДОН ЖУА́Н (наста́ивая°)   insisting
Сенью́ра!

АМЕРИКА́НКА (попре́жнему°)   as before
Мисс!
Я не жела́ю быть сенью́рой!

ДОН ЖУА́Н
Сойдёмте° три ступе́ньки° вниз.   walk down   step

АМЕРИКА́НКА
Вы дон Жуа́н? Ну, тот, кото́рый?...

ДОН ЖУА́Н
Да, тот, кото́рый!

АМЕРИКА́НКА
И с тех пор
Вы в ми́ре в пе́рвый раз яви́лись?°   appear

ДОН ЖУА́Н
Да, в пе́рвый... ста́рый командо́р

---

8. на во́ле   on her own
9. точь в то́чь   exactly

Вцепи́лся° кре́пко°... Вы мне сни́лись.   seize hold   firmly

    АМЕРИКА́НКА

Не ве́рю вам.

    ДОН ЖУА́Н (мечта́тельно°)   dreamily

        Земля́ во мгле;°   mist

Заду́мчивое° у́стье° Ни́ла,   pensive   mouth (*of a river*)

И я плыву́° на корабле́,°   sail   ship

Где вы сиди́те у ветри́ла.°   sail

Иль чуть заме́тный° свет зари́,°   "visible"   dawn

Засты́вший° го́род, звон фонта́на,   grown stiff and silent

И вы мне ше́пчете:° — Смотри́,   whisper

Вот здесь моги́ла° дон Жуа́на.   grave

Подготовка к чтению

1. О чём здесь речь?

2. Я любова́лась на э́тот краси́вый го́род.

3. Ра́но и́ли по́здно он всту́пит на э́тот путь.

4. Он как свой при́нят в вы́сшем све́те.

5. Он, мо́жет быть, пригоди́тся вам, как помо́щник.

6. Он огля́дывается и хвата́ется за́ го́лову.

7. Я всё прозева́л.

8. Вы с ума́ сошли́!

9. Ведь э́то не кто́-нибудь, а сам дон Жуа́н!

10. Не су́йся не в своё де́ло!

1. What are you talking about here?

2. I admired this beautiful city.

3. Sooner or later he will take this path.

4. He is accepted in society as one of their own.

5. He may be of use to you as an assistant.

6. He looks around and clutches his head.

7. I missed everything.

8. You have gone out of your mind!

9. Why, this is not just anyone, it's Don Juan himself!

10. Don't meddle in affairs that are not yours.

2

ЛЕПОРÉЛЛО (подозри́тельно°)   suspiciously
О чём здесь речь?

ДОН ЖУÁН

О том, что ты
Давно́ оста́вил.

АМЕРИКÁНКА

Не меша́йте.°   interfere

АМЕРИКÁНЕЦ (рассма́тривая° па́мятник)   examining
Каки́е стра́нные листы́!

(Лепоре́лло отхо́дит к нему́)

АМЕРИКÁНКА
Как ве́рить вам? Но продолжа́йте.

ДОН ЖУÁН
Я лгу?° Не ве́рите вы мне?   lie
Но зна́ю я, что ва́ши пле́чи,°   shoulder
— Я целова́л их уж во сне —
Нежны́, как восковы́е° све́чи.°   wax candle
А э́та грудь!° Её храня́т°   bosom protect
Тепе́рь зави́стливые° тка́ни,°   envious "garments"
На ней есть си́них жи́лок° ряд   vein (*dim.*)
Капри́зных,° ми́лых очерта́ний.°   capricious outline
Пове́рьте! Мне б хоте́лось лгать
И быть холо́дным, быть кова́рным,°   perfidious
Но то́лько б, то́лько б не страда́ть°   suffer
Пред ва́шим взгля́дом° лучеза́рным.°   gaze radiant

АМЕРИКÁНКА
И мне так ро́дственен° ваш вид: kindred
Я всё быва́ла на Моца́рте[1]
И любова́лась на Мадри́д
По ста́ренькой уче́бной ка́рте.

АМЕРИКÁНЕЦ (Лепоре́лло, ука́зывая на сарко-
фа́г°)   sarcophagus
Скажи́те, мой учёный друг,
Кто здесь поло́жен?°   has been laid

---

1. Я... I used to attend performances of Mozart's works

ЛЕПОРÉЛЛО

Сéти[2] трéтий.

(Про себя́,[3] гля́дя° на дон Жуáна и Американку)   looking
Они́, ну пря́мо вóн из рук![4]

АМЕРИКÁНЕЦ

Как вы егó назвáли?

ЛЕПОРÉЛЛО

Сéти.

АМЕРИКÁНЕЦ

Гм, гм!

ЛЕПОРÉЛЛО (хóчет отойти́)
Сейчáс!

АМЕРИКÁНЕЦ

Скажи́те, как
Вы знáете егó назвáнье?

ЛЕПОРÉЛЛО

Ах, Бóже мой, а э́тот знак!
Забáвно бы́ло бы незнáнье.[5]

АМЕРИКÁНЕЦ

Да, да, ещё бы!° Ну, а тот,   ещё... of course
На пьедестáле° с мóрдой° мóпса?°   pedestal muzzle pug

ЛЕПОРÉЛЛО

А э́то сын Луны́, бог Тот[6]
И, кáжется, времён Хеóпса.[7]
Конéчно! Сдéлан лоб° горбóм,°   forehead "bulging"
А тéмя° плóским° и покáтым,°   crown of head flat
                                              sloping
Таки́х не дéлали потóм,
Хотя́ б при Псамметúхе[8] пя́том.
А вот четвёртый Псамметúх,

2. Сéти Sethos, Seti. *The name of two Egyptian pharaohs of the Nineteenth Dynasty. There was no Seti III.*
3. Про себя́ to himself
4. Они́... They have got completely out of hand.
5. Забáвно... Not knowing would be funny.
6. Тот Thoth, Greek form of Djhowtej. *Egyptian moon god whose cult was centered in Khmun (modern El Ashmunein) in upper Egypt. He was portrayed as an ibis-headed god, and the baboon was his sacred animal. He was the patron of scribes and later functioned as the god of science and learning. The Greeks identified him with Hermes.*
7. Хеóпс Cheops, Khufu. *Pharaoh at Memphis ca. 2900 B.C. Founder of the Fourth Dynasty, he was famous as the builder of the greatest pyramid at Gizeh.*
8. Псамметúх Psammetichos, Psamtik. *Name of three pharaohs of the Twenty-sixth Dynasty. There was no Psamtik IV or Psamtik V.*

На Сети первого[9] похожий...
А вот ещё... (Отходит с Американцем)

    ДОН ЖУАН (Американке)
        Он ваш жених?°   fiancé

    АМЕРИКАНКА
Кто?

    ДОН ЖУАН
 Лепорелло.

    АМЕРИКАНКА
       Ну так что же?
С приданым° я, он знаменит,°   dowry   famous
Как самый знающий° учёный,   learned
Он никого не удивит,°   surprise
Причёсанный° и приручённый.°   "groomed" tamed
Пусть для него я молода,
Но сила, юность и отвага°   daring
Не посещают никогда
Салонов нашего Чикаго.

    ДОН ЖУАН
Но он лакей,° всегда лакей,   lackey
В сукне° ливрейного° кафтана°   broadcloth livery coat
И в гордой° мантии° своей,   proud mantle
В пурпурной° мантии декана.   purple
Страшась° чего-нибудь не знать,   fearing
Грызясь° за почести с другими,   squabbling honor
Как пёс, он должен защищать°   defend
Годами созданное° имя.   "built up"
К природе глух° и к жизни слеп,°   deaf blind
Моль° библиотек позабытых,   moth
Он заключит° вас в тёмный склеп° confine crypt
Крикливых° слов и чувств изжитых.° loud "outmoded"
Нет, есть огонь у вас в крови,°   blood
Вы перемените причуду°...   fancy

    АМЕРИКАНКА
Не говорите о любви!

    ДОН ЖУАН
Не говорить? Нет, буду, буду!
Таких, как вы, на свете нет,
Вы — ангел неги и печали°...   melancholy

9. Сети I *son of Ramses I, pharaoh of the Nineteenth Dynasty
(d. 1292 B.C.)*

АМЕРИКА́НКА

Не говори́те так, нет, нет.

(Па́уза)

Ну вот, уж вы и замолча́ли?

    ДОН ЖУА́Н (схва́тывая° её за́ руку)   seizing
Я вас люблю́!

    ЛЕПОРЕ́ЛЛО (Америка́нцу, кося́сь° на дон Жуа́на)   looking askance
        Пройдём сюда́.
Я вам скажу́ про дон Жуа́на;
Мне ка́жется, на путь труда́
Он всту́пит по́здно или ра́но.
Охо́тно во́дится с ним знать,[10]
Как свой он при́нят в вы́сшем све́те,
Ну, почему́ б ему́ не стать
Адъю́нктом° в университе́те?   adjunct professor
Но он едва́ ль не сли́шком жив,°   lively
Чтоб быть в святи́лище° нау́ки.   sanctuary
Так, мысль о вы́сшем отложи́в,°   putting aside
Дади́м ему́ мы де́ло в ру́ки.[11]
Быть мо́жет, пригоди́тся он,
Как управля́ющий° в сава́ннах.°   manager savanna
Всегда́ верхо́м, вооружён,°   armed
В разъе́здах,° в сты́чках° беспреста́нных,°   on-the-road skirmish incessant
Ока́жется поле́зен° вам   useful
И мо́жет сде́лать положе́нье.°   "career"
Ему́ я э́то переда́м —
И как прямо́е предложе́нье.

(Америка́нец бормо́чет° что-то несвя́зное°)   mutter incoherent

    ДОН ЖУА́Н (Америка́нке)
Я вас люблю́! Уйдём! Уйдём!
Вы зна́ете ль, как па́хнут° ро́зы,   smell
Когда́ их нюха́ют° вдвоём°   sniff two together
И в небеса́х звеня́т° стреко́зы.°   twang dragonfly
Вы зна́ете ль, как стра́нен луг,°   meadow
Как при́зрачен° тума́н моло́чный,°   spectral milky
Когда́ в него́ вас вво́дит друг
Для наслажде́ний,° в час уро́чный.°   delight fixed
Победоно́сная° любо́вь   triumphant
Нас корону́ет° без коро́ны   crown

10. Охо́тно... the aristocracy willingly consorts with him
11. Дади́м... we will put some work in his hands

И превраща́ет° в пла́мя° кровь — transform flame
И в пе́сню ле́пет° исступлённый.° — babble frenzied
Мой конь — уда́ча из уда́ч,[12]
Он белосне́жный,° велича́вый° — snow-white stately
Когда́ пуска́ется он вскачь,[13]
То гул копы́т зовётся сла́вой.[14]
Я был в аду́, я сатане́
Смотре́л в лицо́, и вновь я в ми́ре,
И ста́ло то́лько сла́ще° мне, — sweet
Мои́ глаза́ откры́лись ши́ре.
И вот тепе́рь я встре́тил вас,
Еди́нственную во вселе́нной,° — universe
Чтоб ста́ли вы — о, сла́дкий час! —
Мое́й цари́цею° и пле́нной.° — "queen" captive
Я опьянён,° я вас люблю́, — intoxicated
Так то́лько бо́ги бы́ли пья́ны.
Как бу́дет сла́дко кораблю́
Нас уноси́ть в ины́е° стра́ны. — other
Идём, идём!

АМЕРИКА́НКА
  Я не хочу́!..
Нет, я хочу́! О, ми́лый, ми́лый!

ДОН ЖУА́Н (обнима́я её)
Тебя́ я сча́стью научу́
И над твое́й умру́ моги́лой.

(Ухо́дят)

ЛЕПОРЕ́ЛЛО (огля́дываясь°) — looking back
Но где мисс По́кэр, где Жуа́н?

АМЕРИКА́НЕЦ
Наве́рное в сосе́дней за́ле.

ЛЕПОРЕ́ЛЛО (хвата́ясь за́ голову)
Ах, я рази́ня,° ах, болва́н,° — gawker blockhead
Всё прозева́л, они́ бежа́ли.

АМЕРИКА́НЕЦ
Куда́?

ЛЕПОРЕ́ЛЛО
  Да ве́рно, на лужо́к° — meadow (*dim.*)
Иль на тени́стую° опу́шку.° — shady edge of forest

12. уда́ча... greatest success
13. пуска́ется... he begins to gallop
14. гул... the rumbling of hooves is called glory

Тю-тю!° Теперь уж пастушо́к°
Ласка́ет° ми́лую пасту́шку.

    АМЕРИКА́НЕЦ

Да вы с ума́ сошли́!

    ЛЕПОРЕ́ЛЛО

              Ничу́ть!°

    АМЕРИКА́НЕЦ

Идём.

    ЛЕПОРЕ́ЛЛО

     А шпа́ги° не хоти́те ль?
Ведь дон Жуа́н не кто́-нибу́дь,
Он сам севи́льский соблазни́тель.°

    АМЕРИКА́НЕЦ

Но я их ви́дел здесь, мину́т
Ну пять тому́ наза́д, не бо́ле°...

(Закрыва́ет лицо́ рука́ми)

Когда́ наста́нет° Стра́шный Суд,[15]
Что я мое́й отве́чу По́лли?
Идём, идём скоре́й.

    ЛЕПОРЕ́ЛЛО

          Ей-е́й,°
Я твёрдо° по́мню: Лепоре́лло,
Жела́ешь спи, жела́ешь пей,
А не в своё не су́йся де́ло.
И был я сча́стлив, сыт° и пьян,
И умира́ть каза́лось ра́но...
О, как хоте́л бы я, дека́н,
Опя́ть служи́ть у дон Жуа́на!

15. Стра́шный Суд   Last Judgment

Glosses:
- "they've gone" shepherd (*dim.*)
- caress
- not a bit
- rapier
- seducer
- more
- come
- "I swear"
- "well"
- full

Вопросы | Дон Жуа́н в Еги́пте

1

1. Когда́ происхо́дит де́йствие э́той пье́сы?
2. Где происхо́дит де́йствие э́той пье́сы?
3. О чём вспомина́ет дон Жуа́н?
4. Как объясня́ет он то, что он вы́брался из а́да?
5. Кем стал тепе́рь Лепоре́лло?
6. Како́е отноше́ние име́ет он к молодо́й америка́нке?
7. Кто оте́ц америка́нки?
8. Что расска́зывает Лепоре́лло америка́нцу о дон-Жуа́не?
9. О чём говори́т дон Жуа́н с молодо́й де́вушкой?

2

1. О чём разгова́ривают в э́то вре́мя Лепоре́лло и америка́нец?
2. Что дон Жуа́н говори́т о Лепоре́лло?
3. Что говори́т оте́ц, когда́ его́ дочь исчеза́ет с дон Жуа́ном?
4. О чём мечта́ет Лепоре́лло в конце́ пье́сы?
5. Кака́я та́йна у дон Жуа́на и Лепоре́лло?
6. Понра́вилась ли вам э́та пье́са? Почему́?
7. Каки́е други́е произведе́ния на те́му о дон Жуа́не вы зна́ете?
8. Чем интере́сен за́мысел Гумилёва?
9. Каки́е характе́рные черты́ дон Жуа́на и Лепоре́лло сохрани́л Гумилёв в э́той пье́се?

ÁHHA AHДРЕ́ЕВHA AXMÁTOBA
(*1889–1965*)

When Anna Akhmatova died on March 5, 1965, in
Moscow, Russian literature lost the last great representative of the Second Golden Age of Poetry, as the
period between 1900 and 1917 by rights should be
known. Eight months earlier Akhmatova had paid a
triumphant visit to England, where an honorary degree
of Doctor of Letters was conferred upon her by Oxford
University. In December, 1964, another honor had been
conferred on her by the Italian poets in the form of the
Etna-Taormina international poetry prize, and on this
occasion she traveled outside Russia for the first time
in more than a half century.

Despite those honors and the fact that some of her
poetry has been translated into several languages, her
work is still insufficiently known, and to most non-
Russians she is still little more than a name. That name
attracted some ephemeral attention in the outside world
in 1946, when together with another writer, Mikhail
Zoshchenko (who was better known outside Russia),
she was expelled from literature by Stalin's cultural
boss, Andrey Zhdanov. As she herself said during her
visit to England in 1965, this was in fact her second
ouster from literature: the first took place as early as
1925, unaccompanied by any such Party trumpets as in
1946. It was only in the late 1930's that her name began
to appear again in Soviet periodicals—under some verse
translations and some scholarly articles about Pushkin.

A book of poems, her first since 1923, was published in 1940 on the eve of the war.

Her second disappearance from literature did not last quite so long. She reappeared in print in 1950, but it was not until after the so-called de-Stalinization in 1956 that she gradually won back a place among the Soviet poets. Three volumes of her selected poetry, progressively increasing in scope but still heavily censored, appeared in 1958 (131 pages), 1961 (319 pages), and 1965 (467 pages).

But to this day the most complete collection of her poetry is to be found in the two-volume edition undertaken outside Russia, of which the first volume appeared in 1965. Readers in Russia have still not had a chance to read, except in copies circulating clandestinely, Akhmatova's remarkable cycle of poems entitled **Реквием** (first published in Munich in 1963). These poems, written between 1935 and 1940, were born of the great personal tragedy Akhmatova lived through during the notorious Stalin purges, when her third husband and then a son by her first marriage to Nikolay Gumilev were arrested. Her husband was apparently soon released, but he was later rearrested and died in a camp in 1954. The son was brought to trial and sentenced to fifteen years of forced labor and exile. To quote from the English introduction to the above-mentioned first volume of Akhmatova's collected works, she has succeeded in **Реквием** "in blending the personal and impersonal elements into a powerful and striking whole, closely interweaving her own mother's tragedy with that of countless other mothers and with the great all-Russian tragedy."[1] The atmosphere of the terrible purges of 1937–38 is evoked in these poems in all its nightmarish horror.

The short narrative poem called "Уса́мого мо́ря" which we are giving here, belongs to the prerevolutionary period. Written in 1914, it was first published in the magazine **Аполло́н** in 1915 and later included in the volume **Бе́лая ста́я** (*White Flock*, 1917). In 1921 a separate edition of it appeared. One of the best present-

1. А́нна Ахма́това, **Сочине́ния**, т. I (New York: Inter-Language Literary Associates, 1965), p. 10.

day Russian literary critics and scholars, Wladimir Weidlé (Paris), who knew Akhmatova personally, recently said of this poem that the movement of its verse had always seemed to him to harbor something of the very essence of Akhmatova's poetry. The sea evoked in the poem is the Black Sea in the vicinity of Sevastopol, where Akhmatova (who was born in Odessa, also on the Black Sea) used to spend every summer in her childhood and adolescence. In a short autobiographical note published in 1961 she said that in those years the strongest impression had been made on her by the ancient Greek city of Chersonesus. According to tradition Grand Prince Vladimir of Kiev was baptized in or about 988 in this city, which was known to early Russians as Korsun. The name Chersonesus (and Korsun) figures in the poem.

Подготóвка к чтéнию

1. Онá зарывáла плáтье в песóк, чтóбы егó не сдул вéтер.

2. Дéвушка чáсто уплывáла далёко в мóре.

3. Что ты брóдишь нóчью?

4. Я водúла дрýжбу с рыбакáми.

5. Онú скóро привы́кли ко мне.

6. Высóкий мáльчик был молóже меня на полгóда.

7. Как тóлько я стáну взрóслым, я женю́сь на тебé.

8. Онá тóлько и дéлает, что поёт.

1. She would bury her dress in the sand so that the wind would not blow it away.

2. The girl often swam far out to sea.

3. Why do you wander about at night?

4. I was on friendly terms with the fishermen.

5. They soon got used to me.

6. The tall boy was a half year younger than I.

7. As soon as I grow up I'll marry you.

8. She does nothing but sing.

У са́мого мо́ря

I

Бу́хты° изре́зали° ни́зкий бе́рег,
Все паруса́° убежа́ли в мо́ре,
А я суши́ла° солёную° ко́су°
За версту́[1] от земли́ на пло́ском° ка́мне.
Ко мне приплыва́ла зелёная ры́ба,
Ко мне прилета́ла бе́лая ча́йка,°
А я была́ де́рзкой,° злой и весёлой
И во́все не зна́ла, что э́то — сча́стье.
В песо́к зарыва́ла жёлтое пла́тье,
Чтоб ве́тер не сдул, не унёс бродя́га,°
И уплыва́ла далёко в мо́ре,
На тёмных, тёплых волна́х лежа́ла.
Когда́ возвраща́лась, мая́к° с восто́ка
Уже́ сия́л° переме́нным° све́том,
И мне мона́х° у воро́т Херсоне́са[2]
Говори́л: «Что ты бро́дишь но́чью?»

Зна́ли сосе́ди — я чу́ю° во́ду,
И, е́сли ры́ли° но́вый коло́дец,°
Зва́ли меня́, чтоб нашла́ я ме́сто
И лю́ди напра́сно° не труди́лись.°
Я собира́ла францу́зские пу́ли,°
Как собира́ют грибы́ и черни́ку,°

	cove cut into
	sail
	dry salty braid
	flat
	gull
	bold
	tramp
	lighthouse
	shine changing
	monk
	"divine"
	dig well
	in vain take trouble
	bullet
	blueberry

---

1. За версту́   some distance away (*verst = 3,500 ft.*)
2. у воро́т Херсоне́са   at the gates of Khersones (*formerly* Корсу́нь, *an ancient Greek city on the Black Sea*)

И приноси́ла домо́й в подо́ле[3]
Оско́лки° ржа́вые° бомб тяжёлых.　　　splinter　rusty
И говори́ла сестре́ серди́то:
«Когда́ я ста́ну цари́цей,°　　　　　　empress
Вы́строю° шесть бронено́сцев°　　　　construct　battleship
И шесть каноне́рских° ло́док,°　　　　gun　boat
Что́бы бу́хты мои́ охраня́ли°　　　　　guard
До са́мого Фиоле́нта».°　　　　　　　Cape Fiolent (*on the Crimean peninsula*)

А ве́чером перед крова́тью
Моли́лась° тёмной ико́нке,　　　　　　pray
Чтоб град° не поби́л чере́шен,°　　　　hail　cherry
Чтоб кру́пная ры́ба лови́лась°　　　　　get caught
И что́бы хи́трый° бродя́га　　　　　　sly
Не заме́тил жёлтого пла́тья.

Я с рыбака́ми дру́жбу води́ла.
Под опроки́нутой° ло́дкой ча́сто　　　　overturned
Во вре́мя ли́вня° с ни́ми сиде́ла,　　　downpour
Про мо́ре слу́шала, запомина́ла,°　　　keep in memory
Ка́ждому сло́ву та́йно ве́ря.°　　　　　believing
И о́чень ко мне рыбаки́ привы́кли.
Е́сли меня́ на при́стани° не́ту,　　　　pier
Ста́рший за мно́ю слал° девчо́нку,°　　send　wench
И та крича́ла: «На́ши верну́лись!
Ны́нче мы ка́мбалу° жа́рить бу́дем».　　flounder

Серогла́з° был высо́кий ма́льчик,　　　grey-eyed
На полго́да меня́ моло́же.
Он принёс мне бе́лые ро́зы,
Муска́тные° бе́лые ро́зы,　　　　　　musk
И спроси́л меня́ кро́тко:° «Мо́жно　　　meekly
С тобо́й посиде́ть на ка́мнях?»
Я смея́лась: «На что мне[4] ро́зы?
То́лько ко́лются° бо́льно!» «Что же, —　prick
Он отве́тил, — тогда́ мне де́лать,
Е́сли так я в тебя́ влюби́лся».°　　　　fall in love
И мне ста́ло оби́дно:[5] «Глу́пый! —
Я спроси́ла — Что ты — царе́вич?»°　　"prince"
Э́то был серогла́зый ма́льчик,

3. подо́л the lower, front part of a skirt. *She has carried home the bomb splinters in a receptacle formed by drawing up the hem of her skirt.*
4. На... of what use to me
5. мне... I was annoyed

На полго́да меня́ моло́же.
«Я хочу́ на тебе́ жени́ться, —
Он сказа́л, — ско́ро ста́ну взро́слым
И пое́ду с тобо́й на се́вер...»
Запла́кал высо́кий ма́льчик,
Оттого́ что я не хоте́ла
Ни роз, ни е́хать на се́вер.
   Пло́хо я его́ утеша́ла:°   console
   «Поду́май, я бу́ду цари́цей,
   На что мне тако́го му́жа?»
   «Ну, тогда́ я ста́ну мона́хом, —
   Он сказа́л, — у вас в Херсоне́се».
   «Нет, не на́до лу́чше: мона́хи
   То́лько де́лают, что умира́ют.
   Как придёшь — одного́ хоро́нят,°   bury
   А други́е, зна́ешь, не пла́чут».
Ушёл не прости́вшись° ма́льчик,   bidding farewell
Унёс муска́тные ро́зы,
И я его́ отпусти́ла,°   let go
Не сказа́ла: «Побу́дь° со мно́ю».   stay
А та́йная° боль разлу́ки°   secret   parting
Застона́ла° бе́лою ча́йкой   moan
Над се́рой полы́нной° сте́пью,   wormwood
Над пусты́нной,° мёртвой Корсу́нью.[6]   deserted

6. *See footnote 2 on page 127.*

Подготовка к чтению

1. Цыга́нка помани́ла меня́ к себе́ па́льцем.

2. Почему́ ты не захо́дишь к нам?

3. Она́ посмотре́ла ему́ пря́мо в глаза́.

4. Мне ста́ла ча́сто сни́ться э́та де́вушка.

5. Кто мне ука́жет доро́гу?

6. О́сень смени́лась дождли́вой зимо́й.

7. Под мои́м окно́м до рассве́та вы́ли соба́ки.

8. Мы не ста́нем никого́ обижа́ть.

1. The gypsy woman beckoned me with her finger.

2. Why don't you drop in to see us?

3. She looked him straight in the eyes.

4. I began to dream often of this girl.

5. Who will show me the way?

6. Autumn gave way to rainy winter.

7. The dogs howled beneath my window until dawn.

8. We are not going to harm anyone.

II

Бу́хты изре́зали ни́зкий бе́рег,
Ды́мное со́лнце упа́ло в мо́ре.
Вы́шла цыга́нка из пеще́ры,°   cave
Па́льцем меня́ к себе́ помани́ла:
«Что ты, краса́вица, хо́дишь бо́са?°   barefoot
Ско́ро весёлой, бога́той ста́нешь.
Зна́тного° го́стя жди до Па́схи,°   noble   Easter
Зна́тному го́стю кла́няться° бу́дешь: bow
Не красото́й свое́й, не любо́вью, —
Пе́сней одно́ю го́стя прима́нишь».°   attract
Я отдала́ цыга́нке цепо́чку°   chain
И золото́й крести́льный° кре́стик.°   baptismal   cross
Ду́мала ра́достно: «Вот он, ми́лый,
Пе́рвую весть° о себе́ мне по́дал».   tidings
Но от трево́ги° я разлюби́ла°   anxiety   cease to love
Все мои́ бу́хты и пеще́ры;
Я в камыше́° гадю́к° не пуга́ла,°   reed   adder   frighten
Кра́бов на у́жин не приноси́ла,
А уходи́ла по ю́жной ба́лке°   gully
За виногра́дники° в каменоло́мню,° —   vineyard   quarry
Туда́ не коро́ткой была́ доро́га.
И ча́сто случа́лось, что хозя́йка
Ху́тора° но́вого мне кива́ла,°   farm (*southern*)   nod
Кли́кала° и́здали: «Что не захо́дишь?   call
Все говоря́т — ты прино́сишь сча́стье».
Я отвеча́ла: «Прино́сят сча́стье
То́лько подко́вы° да но́вый ме́сяц,°   horseshoe   moon
Е́сли он спра́ва в глаза́ посмо́трит».
В ко́мнаты я входи́ть не люби́ла.

Ду́ли с восто́ка сухи́е ве́тры,
Па́дали с не́ба кру́пные° звёзды,   large
В ни́жней це́ркви служи́ли° моле́бны°   "say"   prayer
О моряка́х,° уходя́щих° в мо́ре,   sailor   going off
И заплыва́ли в бу́хту меду́зы,° —   jellyfish
Сло́вно° звёзды, упа́вшие° за́ ночь,[1]   like   have fallen
Глубоко́ под водо́й голубе́ли.°   shine blue

1. за́ ночь   overnight

Как журавли° курлы́кают° в не́бе,   crane whoop
Как беспоко́йно треща́т° цика́ды,°   crackle cicada
Как о печа́ли° поёт солда́тка,° —   sorrow soldier's wife
Всё я запо́мнила чу́тким° слу́хом,°   sharp hearing
Да то́лько пе́сни тако́й не зна́ла,
Что́бы царе́вич со мной оста́лся.°   remain
Де́вушка ста́ла мне ча́сто сни́ться
В у́зких брасле́тах, в коро́тком пла́тье,
С ду́дочкой° бе́лой в рука́х прохла́дных.° reed pipe cool
Ся́дет споко́йная, до́лго смо́трит,
И о печа́ли мое́й не спро́сит,
И о печа́ли свое́й не ска́жет,
То́лько плечо́° моё не́жно гла́дит.°   shoulder stroke
Как же царе́вич меня́ узна́ет,
Ра́зве он по́мнит мои́ приме́ты?°   distinctive mark
Кто ему́ дом наш ста́рый ука́жет?°   point out
Дом наш совсе́м вдали́ от доро́ги.

О́сень смени́лась зимо́й дождли́вой,
В ко́мнате бе́лой от о́кон ду́ло,
И плющ° мота́лся° по сте́нке са́да.   ivy flap
Приходи́ли на двор чужи́е° соба́ки,   strange
Под око́шком мои́м до рассве́та вы́ли.
Тру́дное вре́мя для се́рдца бы́ло.
Так я шепта́ла,° на две́ри гля́дя:°   whisper looking
«Бо́же, мы му́дро° ца́рствовать° бу́дем, wise reign
Стро́ить над мо́рем больши́е це́ркви
И маяки́ высо́кие стро́ить.
Бу́дем бере́чь° мы во́ду и зе́млю,   protect
Мы никого́ обижа́ть не ста́нем».

Подгото́вка к чте́нию

1. Ла́сточки верну́лись в свои́ гнёзда.

2. За́ ночь наступи́ло ле́то.

3. Мне давно́ пора́ собира́ться.

4. Мы не зна́ем, како́й пода́рок он мне гото́вит.

5. Мы с ней бы́ли одноле́тки и да́же немно́го похо́жи друг на дру́га.

6. Она́ да́же во сне бре́дила свое́й рабо́той.

7. В тако́й большо́й пра́здник грешно́ труди́ться.

8. Мне хо́чется на мо́ре сего́дня.

9. Он совсе́м не быва́ет в го́роде.

10. Я приду́мала пе́сню, лу́чше кото́рой нет на све́те.

---

1. The swallows returned to their nests.

2. Summer came overnight.

3. It is high time for me to get ready (to leave).

4. We don't know what sort of present he is preparing for me.

5. She and I were of the same age and even resembled each other a little.

6. Even in her sleep she raved of her work.

7. It's a sin to work on such a big holiday.

8. I feel like going to the sea today.

9. He does not come to town at all.

10. I thought up the best song in the world.

III

Вдруг подобре́ло° тёмное мо́ре,   *become kind*
Ла́сточки в гнёзда свои́ верну́лись,
И сде́лалась кра́сной земля́ от ма́ков,°   *poppy*
И ве́село ста́ло опя́ть на взмо́рье.°   *seashore*
За́ ночь одну́ наступи́ло ле́то, —
Так мы весны́ и не вида́ли.
И я совсе́м переста́ла боя́ться,
Что но́вая до́ля° мине́т.°   *"fortune" pass by*
А ве́чером в Ве́рбную Суббо́ту,[1]
Из це́ркви придя́,° я сестре́ сказа́ла: *having returned*
«На́ тебе[2] све́чку° мою́ и чётки,°   *candle rosary*
Би́блию на́шу до́ма оста́влю.
Че́рез неде́лю наста́нет Па́сха,
И мне давно́ пора́ собира́ться, —
Ве́рно, царе́вич уже́ в доро́ге,
Мо́рем за мной он сюда́ прие́дет».
Мо́лча° сестра́ на слова́ диви́лась,°   *silently wonder*
То́лько вздохну́ла,° по́мнила ве́рно   *sigh*
Ре́чи° цыга́нкины у пеще́ры.   *"words"*
«Он привезёт тебе́ ожере́лье°   *necklace*
И с голубы́ми ка́мнями ко́льца?»
«Нет, — я сказа́ла, — мы не зна́ем,
Како́й он пода́рок мне гото́вит».
Бы́ли мы с сестро́й одноле́тки
И так друг на дру́га похо́жи,
Что ма́леньких° нас различа́ла°   *"when we were little" distinguish*
То́лько по ро́динкам° на́ша ма́ма.   *birthmark*
С де́тства сестра́ ходи́ть не уме́ла,
Как восково́я° ку́кла,° лежа́ла;   *wax doll*
Ни на кого́ она́ не серди́лась
И вышива́ла° плащани́цу,°   *embroider shroud of Christ*
Бре́дила да́же во сне рабо́той;
Слы́шала я, как она́ шепта́ла:
«Плащ° Богоро́дицы° бу́дет си́ним...   *robe Mother of God*
Бо́же, апо́столу Иоа́нну°   *John*

1. A... on the eve of Palm Sunday
2. На́ тебе Here you are (Take)

Жемчу́жин° для слёз доста́ть мне не́где...»　　　　　pearl
Дво́рик заро́с лебедо́й и мя́той,[3]
О́слик° щипа́л° траву́ у кали́тки,°　　　　little donkey　nibble　gate
И на соло́менном° дли́нном кре́сле　　　　wicker
Ле́на° лежа́ла, раски́нув° ру́ки,　　　　Elena (*dim.*)　spread out
Всё о рабо́те свое́й скуча́ла,° —　　　　pine
В пра́здник тако́й грешно́ труди́ться.
И приноси́л к нам солёный ве́тер
Из Херсоне́са звон пасха́льный.[4]
Ка́ждый уда́р отдава́лся° в се́рдце,　　　　resound
С кро́вью по жи́лам° растека́лся.°　　　　vein　flow
«Ле́ночка,° — я сестре́ сказа́ла, —　　　　Elena (*endearing dim.*)
Я ухожу́ сейча́с на бе́рег.
Е́сли царе́вич за мной прие́дет,
Ты объясни́ ему́ доро́гу.
Пусть он меня́ в степи́ наго́нит:°　　　　catch up with
Хо́чется на́ море мне сего́дня».
«Где же ты пе́сенку° услыха́ла,　　　　song (*dim.*)
Ту, что царе́вича прима́нит»,
Глаза́ приоткры́в,° сестра́ спроси́ла:　　　　slightly opened
«В го́роде ты совсе́м не быва́ешь,
А здесь пою́т не таки́е пе́сни».
К са́мому у́ху её склони́вшись,°　　　　bending
Я прошепта́ла: «Зна́ешь, Ле́на,
Ведь я сама́ приду́мала пе́сню,
Лу́чше кото́рой нет на све́те».
И не пове́рила мне, и до́лго,
До́лго с упрёком° она́ молча́ла.　　　　reproach

3. Дво́рик... the courtyard was overgrown with goosefoot and mint
4. звон пасха́льный the ringing of bells on Easter Sunday

Подготóвка к чтéнию

1. Óстрые скáлы бы́ли покры́ты пéной.

2. С кем бы он ни́ был, он дýмает обо мнé.

3. Вдали́ едвá виднéлись я́хты.

4. Стóя в водé по пóяс, стари́к звал на пóмощь.

5. Моря́к вы́нес человéка из воды́.

6. Он ти́хо лежáл на пескé и глядéл на нéбо.

7. У негó глазá зеленéе мóря.

8. Твой друг не приходи́л за тобóй.

1. Sharp rocks were covered with foam.

2. No matter who he is with he thinks about me.

3. The yachts were barely visible far off.

4. Standing in water up to his waist the old man was calling for help.

5. The sailor carried a man out of the water.

6. He lay quietly on the sand and looked at the sky.

7. His eyes are greener than the sea.

8. Your friend did not come for you.

IV

Со́лнце лежа́ло на дне коло́дца,
Гре́лись° на ка́мнях сколопе́ндры,°   bask   scolopendra (*a kind
                                                         of centipede*)
И убега́ло перекати-по́ле,°   tumbleweed
Сло́вно пая́ц° горба́тый° кривля́ясь,°   clown   hunch-backed
                                                         making faces
А высоко́ взлете́вшее° не́бо   (that) has soared up
Как Богоро́дицын плащ сине́ло, —
Пре́жде оно́ таки́м не быва́ло.

Лёгкие я́хты° с по́лдня гоня́лись,°   yacht   race
Бе́лых безде́льниц° столпи́лось° мно́го   idler   crowd
У Константи́новской батаре́и,[1] —
Ви́дно, им ве́тер ны́нче удо́бный.°   "propitious"
Ти́хо пошла́ я вдоль бу́хты к мы́су,°   cape
К чёрным, разло́манным,° о́стрым ска́лам,   broken up
Пе́ной покры́тым в часы́ прибо́я,°   "high tide"
И повторя́ла но́вую пе́сню.

Зна́ла я: с кем бы царе́вич ни был,
Слы́шит он го́лос мой, смути́вшись,° —   embarrassed
И оттого́ мне ка́ждое сло́во,
Как Бо́жий пода́рок, бы́ло ми́ло.

Пе́рвая я́хта не шла — лете́ла,
И догоня́ла её втора́я,
А остальны́е едва́ видне́лись.°   be visible

Как я легла́ у воды́ — не по́мню,
То́лько очну́лась° и ви́жу: па́рус   come to one's senses
Бли́зко поло́щется.° Пе́редо мно́ю,   flap
По по́яс сто́я в воде́ прозра́чной,°   transparent
Ша́рит° рука́ми стари́к огро́мный   rummage
В ще́лях° глубо́ких скал прибре́жных,°   crevice   coastal
Го́лосом хри́плым° зовёт на по́мощь.   hoarse

Гро́мко я ста́ла чита́ть° моли́тву,   recite
Как меня́ ма́ленькую учи́ли,
Что́бы мне стра́шное не присни́лось,
Чтоб в на́шем до́ме бед° не быва́ло.   misfortune
То́лько я мо́лвила:° «Ты Храни́тель!»°   utter   Guardian Angel
Ви́жу — в рука́х старика́ беле́ет
Что́-то, и се́рдце моё засты́ло°...   freeze

---

1. Константи́новская батаре́я   a gun emplacement in Sevastopol

Вы́нес моря́к того́, кто пра́вил°   steer
Са́мой весёлой, крыла́той° я́хтой,   winged
И положи́л на тёмные ка́мни.

До́лго я ве́рить себе́ не сме́ла,
Па́льцы куса́ла,° что́бы очну́ться: bite
Сму́глый° и ла́сковый° мой царе́вич   dark-complexioned   gentle
Ти́хо лежа́л и гляде́л на не́бо.
Эти глаза́, зелене́е мо́ря
И кипари́сов° на́ших темне́е, —   cypress
Ви́дела я, как они́ пога́сли°...   go out
Лу́чше бы мне роди́ться слепо́ю.
Он застона́л и невня́тно° кри́кнул: indistinctly
«Ла́сточка, ла́сточка, как мне бо́льно»!
Ве́рно,° я пти́цей ему́ показа́лась.   probably

В су́мерки² я домо́й верну́лась.
В ко́мнате тёмной бы́ло ти́хо,
И над лампа́дкой° стоя́л высо́кий,   icon lamp (*dim.*)
У́зкий мали́новый° огонёчек.°   crimson   flame (*dim.*)
«Не приходи́л за тобо́й царе́вич», —
Ле́на сказа́ла, шаги́° услы́шав: step
«Я прождала́ его́ до вече́рни°   vespers
И посыла́ла дете́й на при́стань».
«Он никогда́ не придёт за мно́ю,
Он никогда́ не вернётся, Ле́на.
У́мер сего́дня мой царе́вич».
До́лго и ча́сто сестра́ крести́лась;°   cross oneself
Вся поверну́вшись° к стене́, молча́ла.   turned
Я догада́лась,° что Ле́на пла́чет.   guess

Слы́шала я — над царе́вичем пе́ли:
«Христо́с воскре́се из мёртвых»,³ —
И несказа́нным° све́том сия́ла   ineffable
Кру́глая це́рковь.

2. В су́мерки   at twilight
3. «Христо́с воскре́се из мёртвых»   Christ is risen from the dead
   (*Church Slavonic*)

Вопро́сы | У са́мого мо́ря

I

1. Где происхо́дит де́йствие э́той поэ́мы?
2. От чьего́ и́мени ведётся расска́з?
3. Когда́ она́ обы́чно возвраща́лась в го́род по́сле пла́вания в мо́ре?
4. Кака́я необы́чная спосо́бность была́ у геро́ини?
5. Что она́ собира́ла?
6. О чём моли́лась она́ по вечера́м?
7. С кем она́ дружи́ла?
8. Опиши́те ма́льчика, кото́рый принёс ей ро́зы.
9. Как приняла́ геро́иня пода́рок ма́льчика?
10. О чём рассказа́л ей ма́льчик?
11. Что она́ рассказа́ла ему́ о свои́х пла́нах?
12. Как они́ расста́лись?

II

1. Что предсказа́ла цыга́нка геро́ине?
2. Что дала́ геро́иня цыга́нке?
3. Как измени́лась жизнь геро́ини по́сле предсказа́ния цыга́нки?
4. Куда́ она́ ста́ла тепе́рь ходи́ть?
5. Что она́ запо́мнила?
6. Опиши́те де́вушку, кото́рая ста́ла ча́сто сни́ться геро́ине.
7. Кто была́ э́та де́вушка?
8. О чём беспоко́илась геро́иня?
9. Почему́ ей бы́ло осо́бенно тру́дно зимо́й?
10. О чём мечта́ла она́ в э́то вре́мя?

III

1. Как опи́сывается наступле́ние ле́та?
2. Как измени́лось настрое́ние геро́ини с переме́ной пого́ды?
3. Что отдала́ она́ свое́й сестре́ в Ве́рбную Суббо́ту?
4. Что рассказа́ла она́ сестре́ о царе́виче?
5. Почему́ сестра́ не удиви́лась её слова́м?
6. Что зна́ем мы о сестре́ геро́ини?

7. Почему́ она́ всегда́ сиде́ла до́ма?
8. Како́й у неё был хара́ктер?
9. Что она́ обы́чно де́лала?
10. Что сказа́ла геро́йня сестре́ пе́ред тем, как уйти́ и́з дому?

IV

1. Кака́я пого́да была́ на Па́сху?
2. Что происходи́ло в э́тот день на мо́ре?
3. Куда́ пошла́ геро́йня?
4. Что она́ повторя́ла по доро́ге?
5. Где она́ засну́ла?
6. Что уви́дела она́, просну́вшись?
7. Что она́ ста́ла де́лать, когда́ услыха́ла, что стари́к зовёт на по́мощь?
8. Кого́ вы́нес моря́к из воды́?
9. Что с ним случи́лось?
10. Когда́ верну́лась геро́йня домо́й?
11. Что сказа́ла ей Ле́на?
12. Как отнесла́сь Ле́на к изве́стию о сме́рти царе́вича?
13. Каку́ю моли́тву пе́ли над мёртвым царе́вичем? Почему́?

ЮРИЙ КА́РЛОВИЧ ОЛЕ́ША
(*1899–1960*)

In 1927 Yury Olesha, then known only to a narrow
circle of his literary friends and to the readers of the
Union of Railwaymen's newspaper **Гудо́к** (*The
Whistle*), achieved fame overnight with the publication
of his short novel **За́висть** (*Envy*). The novel was hailed
as a literary event. Its theme was the place of feelings
and of traditional ethical values in the new Soviet
society. In a way it anticipated the theme of Arthur
Koestler's *Darkness at Noon,* and at the same time it
was a variation on the theme of the intelligentsia con-
fronted by the Revolution and its ruthless demands, a
theme that had already been explored in several earlier
Soviet novels. What was new in Olesha (and this was
immediately recognized by critics both in the Soviet
Union and abroad) was the freshness of his artistic
vision, as well as of the imagery and the pattern of the
novel.

The same was true of Olesha's short stories, collected
in two slim volumes: **Любо́вь** (*Love,* 1929) and **Вишнё-
вая ко́сточка** (*The Cherry Stone,* 1930). In the title
story of the former, which the reader will find below,
Olesha explores and develops some of the motifs of
Envy—in particular the clash between the "romantic"
and the "realistic" view of life. This theme continued to
haunt Olesha, and it affected his subsequent literary
career: he was attacked for his lack of orthodoxy, for
being out of tune with the times, and for being too
much preoccupied with non-topical themes. At the

first Congress of Soviet Writers in 1934 he admitted that he had put much of himself into the romantic and rebellious protagonist of his novel, Nikolay Kavalerov.

By the late 1930's Olesha had disappeared from literature. It is not known to this day whether he was at any time arrested or exiled. He made a short literary comeback after the war, when some of his stories appeared in a minor magazine, but he disappeared again very soon. Apparently none of his works—certainly no major fictional works—were published until 1956, when a volume of his selected writings including **Зависть** and most of the stories was brought out. In V. Pertsov's introduction to it there was a hint that Olesha's works had been banned. In the words of one Soviet critic Olesha could certainly be described as one of the "blank spots on the map of Soviet literature."

When Olesha died in 1960 his literary creativity seems to have been exhausted. One of his last contributions to Russian literature was his adaptation for the stage of Dostoyevsky's novel *The Idiot*. Unless some of his work written between 1937 and 1960 is still kept under lock and key (officially, only the existence of some unfinished plays has been revealed), his fictional output is confined to two novels, two plays, one film script, and less than a dozen stories. Of these works **Три толстяка** (*The Three Fat Men*) is a charming and fantastic novel, written ostensibly for children. One of the plays is a dramatization of **Зависть**. All this was written between 1927 and 1937. The posthumously published volume **Ни дня без строчки** (*Not a Day Without a Line*, 1965) is a delightfully written fragmentary autobiography, interspersed with interesting reflections about life and literature. In the introduction to that volume the well-known literary scholar and critic Victor Shklovsky quotes the following words of Olesha's friend and fellow writer Emmanuil Kazakevich: "Olesha is one of those writers who never wrote a single word that rings false. He had enough strength of character not to write that which he did not want to write. Some people called it weakness of character." It is perhaps in those words that one must seek the key to the long periods of Olesha's literary silence. This silence may have been self-imposed, but this does not mean that it was not at the same time enforced upon Olesha.

Подготовка к чтению

1. Этого только не хватало!

2. Он быстро пошёл по дорожке.

3. Эти вещи мне совершенно не нужны.

4. Мною начинают распоряжаться.

5. Его пребывание в саду затянулось.

6. Его поразила красота девушки.

7. Он сидел, положив на каждое колено по руке.

8. Молодой человек страдает дальтонизмом.

9. Меня бы стошнило от такой еды.

10. Вы на опасном пути!

1. That's the limit!

2. He went quickly along the path.

3. I don't need those things at all.

4. They are beginning to order me around.

5. His stay in the garden was protracted.

6. He was struck by the young girl's beauty.

7. He sat with one hand on each knee.

8. The young man suffers from color-blindness.

9. I would be sick from this kind of food.

10. You are on a dangerous path!

Любо́вь

1

Шува́лов ожида́л Лёлю в па́рке. Был жа́ркий по́л-
день. На ка́мне появи́лась я́щерица.° Шува́лов
поду́мал: на э́том ка́мне я́щерица беззащи́тна,° её
мо́жно сра́зу обнару́жить.° «Мимикри́я»,° — поду́-
мал он. Мысль о мимикри́и привела́ воспомина́ние°
о хамелео́не.

— Здра́вствуйте,° — сказа́л Шува́лов. — Не хвата́ло
то́лько хамелео́на.

Я́щерица убежа́ла.

Шува́лов подня́лся в сердца́х[1] со скаме́йки° и бы́-
стро пошёл по доро́жке. Его́ охвати́ла° доса́да,°
возни́кло° жела́ние воспроти́виться° чему́-то. Он
останови́лся и сказа́л дово́льно гро́мко:

— Да ну́ его́ к чёрту![2] Заче́м мне ду́мать о мими-
кри́и и хамелео́не? Э́ти мы́сли мне соверше́нно не
нужны́.

Он вы́шел на поля́нку° и присе́л° на пенёк.°
Лета́ли насеко́мые.° Вздра́гивали° сте́бли.° Архи-
текту́ра лета́ния птиц, мух,° жуко́в° была́ при́зрач-
на,° но мо́жно бы́ло улови́ть ко́е-како́й пункти́р,
о́черк а́рок, мосто́в, ба́шен, терра́с[3] — не́кий° бы́стро
перемеща́ющийся° и ежесеку́ндно° деформи́рую-
щийся го́род.

«Мно́ю начина́ют распоряжа́ться, — поду́мал

	lizard
	defenseless
	detect mimicry
	recollection
	Fancy that!
	bench
	seize vexation
	arise oppose
	clearing sit down stump (*dim.*)
	insect shudder stem
	fly beetle
	spectral
	some sort of
	shifting every second

1. в сердца́х   in a fit of temper
2. — Да ну́ его́ к чёрту!   The devil take him!
3. мо́жно...   it was possible to catch (sight of) some dotted outline,
   a contour of arches, bridges, towers, terraces

Шувáлов. — Сфéра моегó внимáния засоряется.° Я be strewn with litter
становлю́сь эклéктиком. Кто распоряжáется мнóю?
Я начинáю ви́деть то, чего нет».

Лёля не шла. Егó пребывáние в садý затянýлось. take a stroll   be convinced
Он прогýливался.° Емý пришлóсь убеди́ться° в existence   species
существовáнии° мнóгих порóд° насекóмых. По bug
стéблю ползлá букáшка,° он снял её и посади́л на palm (*of the hand*) suddenly
ладóнь.° Внезáпно° я́рко сверкнýло° её брюшкó.°   glisten   belly
Он рассерди́лся.

— К чёрту! Ещё полчасá — и я стáну натурали́-
стом.

Стéбли бы́ли разнообрáзны,° ли́стья, стволы́;° он varied   trunk
ви́дел трави́нки,° сустáвчатые,° как бамбýк;° егó blade   jointed   bamboo
порази́ла многоцвéтность тогó, что называ́ют
травяны́м покрóвом;[4] многоцвéтность сáмой пóч-
вы° оказáлась для негó совершéнно неожи́данной.° soil   unexpected

— Я не хочý быть натурали́стом! — взмоли́лся° plead
он. — Мне не нужны́ э́ти случáйные° наблюдéния.° chance   observation

Но Лёля не шла. Он ужé сдéлал кóе-каки́е стати-
сти́ческие вы́воды,° произвёл ужé кóе-какýю клас- conclusion
сификáцию. Он ужé мог утверждáть,° что в э́том assert
пáрке преобладáют° дерéвья с широ́кими стволáми predominate
и ли́стьями, имéющими трéфовую° фóрму. Он узна- club (*in cards*)
вáл звучáние° насекóмых. Внимáние егó, поми́мо° sound   apart from
егó желáния, напóлнилось° совершéнно неинтерéс- be filled
ным для негó содержáнием.° content

А Лёля не шла. Он тосковáл° и досáдовал. Вмéсто be miserable
Лёли пришёл неизвéстный граждани́н в чёрной
шля́пе. Граждани́н сел ря́дом с Шувáловым на
зелёную скамью́. Граждани́н сидéл нéсколько по-
нýрившись,° положи́в на кáждое колéно по бéлой downcast
рукé. Он был мóлод и тих. Оказáлось впослéдствии,° later
что молодóй человéк страдáет дальтони́змом. Они́
разговори́лись.° get into a conversation

— Я вам зави́дую,° — сказáл молодóй человéк. — envy
Говоря́т, что ли́стья зелёные. Я никогдá не ви́дел
зелёных ли́стьев. Мне прихóдится есть си́ние грýши.° pear

— Си́ний цвет несъедóбный,° — сказáл Шувáлов. inedible
— Меня́ бы стошни́ло от си́ней грýши.

— Я ем си́ние грýши, — печáльно повтори́л даль-
тóник. Шувáлов вздрóгнул.° start

4. травянóй покрóв herbage

— Скажи́те, — спроси́л он, — не замеча́ли ли вы, что, когда́ вокру́г вас лета́ют пти́цы, то получа́ется° го́род, вообража́емые° ли́нии?... | "you get"
imaginary

— Не замеча́л, — отве́тил дальто́ник.

— Зна́чит, весь мир воспринима́ется° ва́ми пра́вильно? | perceive

— Весь мир, кро́ме не́которых цветовы́х дета́лей.° Дальто́ник поверну́л° к Шува́лову бле́дное° лицо́. | detail
turn pale

— Вы влюблены́?° — спроси́л он. | in love

— Влюблён, — че́стно° отве́тил Шува́лов. | honestly

— То́лько не́которая пу́таница° в цвета́х, а в остально́м — всё есте́ственно!⁵ — ве́село сказа́л дальто́ник. При э́том он сде́лал покрови́тельственный по отноше́нию к собесе́днику жест.⁶ | mix-up

— Одна́ко си́ние гру́ши — э́то не пустя́к,° — ухмыльну́лся° Шува́лов. | trifle
smirk

Вдали́ появи́лась Лёля. Шува́лов подпры́гнул.° Дальто́ник встал и, приподня́в° чёрную шля́пу, стал удаля́ться.° | jump up
raising
move away

— Вы не скрипа́ч?° — спроси́л вдого́нку° Шува́лов. | fiddler   calling after him

— Вы ви́дите то, чего́ нет, — отве́тил молодо́й челове́к.

Шува́лов запа́льчиво° кри́кнул: | heatedly

— Вы похо́жи на скрипача́.

Дальто́ник, продолжа́я° удаля́ться, проговори́л° что́-то, и Шува́лову послы́шалось:° | continuing utter
seem to hear

— Вы на опа́сном пути́...

---

5. а в остально́м... otherwise, everything is natural
6. сде́лал... made a protective gesture toward his interlocutor

Подгото́вка к чте́нию

1. Знамени́тый певе́ц был встре́чен ова́цией.

2. Он сде́лал неожи́данный вы́вод.

3. Она́ доста́ла из кулька́ абрико́с.

4. Он води́л па́льцем по узо́ру обо́ев.

5. Я вспо́мнил об э́том за пять мину́т до погруже́ния в сон.

6. Давно́ нача́вшаяся переме́на наконе́ц заверши́лась.

7. На подоко́ннике стоя́ли горшки́ с разноцве́тными цвета́ми.

8. Име́лось основа́ние так предполага́ть.

9. В ко́мнате внеза́пно разда́лся звук па́дающих ка́пель.

10. Я хоте́л отвле́чь её от э́той мы́сли.

1. The famous singer was greeted by an ovation.

2. He drew an unexpected conclusion.

3. She took an apricot from the paper bag.

4. He ran his finger over the wallpaper design.

5. I remembered this five minutes before sinking into sleep.

6. The change that had begun long ago was at last completed.

7. Flowerpots with varicolored flowers stood on the window sill.

8. There was a reason to suppose so.

9. Suddenly the sound of falling drops rang out in the room.

10. I wanted to divert her from this thought.

Лёля бы́стро шла. Он подня́лся навстре́чу,° сде́лал [to meet (her)]
не́сколько шаго́в.° Пока́чивались° ве́тви° с трефо́- [step sway branch]
выми ли́стьями. Шува́лов стоя́л посреди́ доро́жки.
Ве́тви шуме́ли. Она́ шла, встреча́емая ова́цией ли-
ствы́.° Дальто́ник, забира́вший° впра́во, поду́мал: [foliage bearing]
«А ведь пого́да-то ве́трена», — и посмотре́л вверх,
на листву́. Листва́ вела́ себя́, как вся́кая° листва́, [any]
взволно́ванная° ве́тром. Дальто́ник уви́дел кача́ю- [agitated]
щиеся си́ние кро́ны.° Шува́лов уви́дел зелёные кро́- [top]
ны. Но Шува́лов сде́лал неесте́ственный вы́вод. Он
поду́мал: «Дере́вья встреча́ют Лёлю ова́цией».
Дальто́ник ошиба́лся, но Шува́лов ещё грубе́е.° [flagrantly]

— Я ви́жу то, чего́ нет, — повтори́л Шува́лов.

Лёля подошла́. В руке́ она́ держа́ла кулёк с абри-
ко́сами. Другу́ю ру́ку она́ протяну́ла° ему́. Мир [stretch out]
стреми́тельно° измени́лся. [precipitously]

— Отчего́ ты мо́рщишься?° — спроси́ла она́. [scowl]

— Я, ка́жется, в очка́х.° [spectacles]

Лёля доста́ла° из кулька́ абрико́с, разорва́ла° [get tear apart]
ма́ленькие его́ я́годицы° и вы́бросила° ко́сточку.° [buttock throw away / stone]
Ко́сточка упа́ла в траву́. Он испу́ганно огляну́лся.° [glance back]
Он огляну́лся и уви́дел: на ме́сте паде́ния° ко́сточки [fall]
возни́кло де́рево, то́нкое, сия́ющее° де́ревце,° чуде́с- [glowing sapling]
ный зонт.° Тогда́ Шува́лов сказа́л Лёле: [umbrella]

— Происхо́дит кака́я-то ерунда́.° Я начина́ю мы́- [nonsense]
слить° о́бразами.° Для меня́ перестаю́т существо- [think image]
ва́ть зако́ны. Че́рез пять лет на э́том ме́сте вы́-
растет° абрико́совое де́рево. Вполне́° возмо́жно. [grow up entirely]
Это бу́дет в по́лном согла́сии° с нау́кой.° Но я, на- [agreement science]
переко́р° всем естества́м,° уви́дел э́то де́рево на пять [counter "law of nature"]
лет ра́ньше. Ерунда́. Я становлю́сь идеали́стом.

— Это от любви́, — сказа́ла она́, истека́я° абри- [oozing]
ко́совым со́ком.° [juice]

Она́ сиде́ла на поду́шках,° ожида́я его́. Крова́ть [pillow]
была́ вдви́нута° в у́гол. Золоти́лись° на обо́ях° [moved into look golden / wallpaper]
ве́нчики.° Он подошёл, она́ обняла́° его́. Она́ была́ [coronet embrace]
так молода́ и так легка́, что разде́тая, в соро́чке,° [chemise]

каза́лась противоесте́ственно оголённой.° Пе́рвое объя́тие° бы́ло бу́рным.° Де́тский медальо́н вспорхну́л° с её груди́ и застря́л° в волоса́х, как золота́я минда́лина.° Шува́лов опуска́лся° над её лицо́м — ме́дленно, как лицо́ умира́ющей, уходи́вшим в поду́шку.

Горе́ла ла́мпа.

— Я потушу́,° — сказа́ла Лёля.

Шува́лов лежа́л под стено́й. У́гол надви́нулся.° Шува́лов води́л па́льцем по узо́ру обо́ев. Он по́нял: та часть о́бщего узо́ра обо́ев, тот уча́сток° стены́, под кото́рым он засыпа́ет, име́ет двойно́е° существова́ние: одно́ обы́чное, дневно́е, ниче́м не замеча́тельное — просты́е ве́нчики; друго́е — ночно́е, воспринима́емое за пять мину́т до погруже́ния в сон. Внеза́пно подступи́в° вплотну́ю,° ча́сти узо́ров увели́чились,° детализи́ровались и измени́лись. На гра́ни° засыпа́ния, бли́зкий к де́тским ощуще́ниям,° он не протестова́л про́тив превраще́ния° знако́мых и зако́нных° форм, тем бо́лее что превраще́ние э́то бы́ло умили́тельно:° вме́сто завитко́в° и коле́ц он уви́дел козу́,° по́вара°...

— И вот скрипи́чный ключ,[1] — сказа́ла Лёля, поня́в его́.

— И хамелео́н... — прошепеля́вил° он, засыпа́я.

Он просну́лся ра́но у́тром. О́чень ра́но. Он просну́лся, посмотре́л по сторона́м и вскри́кнул.° Блаже́нный° звук вы́летел из его́ го́рла. За э́ту ночь переме́на, нача́вшаяся в ми́ре в пе́рвый день их знако́мства, заверши́лась. Он просну́лся на но́вой земле́. Сия́ние° у́тра наполня́ло ко́мнату. Он ви́дел подоко́нник и на подоко́ннике горшки́ с разноцве́тными цвета́ми. Лёля спала́, поверну́вшись° к нему́ спино́й. Она́ лежа́ла сверну́вшись,° спина́ её округли́лась,° под ко́жей° обозна́чился° позвоно́чник° — то́нкая камыши́на. «У́дочка,° — поду́мал Шува́лов, — бамбу́к». На э́той но́вой земле́ всё бы́ло умили́тельно и смешно́. В откры́тое окно́ лете́ли голоса́. Лю́ди разгова́ривали о цвето́чных горшка́х, вы́ставленных° на её окне́.

bared
embrace   stormy
take wing   stick
almond   lower

extinguish

advance

section

dual

coming up   close
grow larger
verge   sensation
transformation
lawful
touching   flourish
goat   chef

lisp

cry out
blissful

radiance

turned
curled up
become rounded   skin
   "show through"
backbone   reed   fishing
   rod

displayed

---

1. скрипи́чный ключ treble clef

Он встал, оде́лся, с трудо́м уде́рживаясь° на земле́. Земно́го притяже́ния[2] бо́лее не существова́ло. Он не пости́г° ещё зако́нов э́того но́вого ми́ра и поэ́тому де́йствовал° осторо́жно,° с опа́ской,[3] боя́сь каки́м-нибудь неосторо́жным посту́пком° вы́звать° оглуши́тельный° эффе́кт. Да́же про́сто мы́слить, про́сто воспринима́ть предме́ты° бы́ло риско́ванно. А вдруг за́ ночь в него́ всели́лось° уме́ние материализи́ровать мы́сли? Име́лось основа́ние так предполага́ть. Так, наприме́р, са́ми собо́й застегну́лись пу́говицы.[4] Так, наприме́р, когда́ ему́ потре́бовалось° намочи́ть° щётку,° что́бы освежи́ть° во́лосы, внеза́пно разда́лся звук па́дающих ка́пель... Он огляну́лся. На стене́ под луча́ми° со́лнца горе́ла цвета́ми монгольфье́ров[5] оха́пка° Лё́линых пла́тьев.

— Я тут, — прозвуча́л° из во́роха° го́лос кра́на.°

Он нашёл под оха́пкой кран и ра́ковину.° Ро́зовый обмы́лок° лежа́л тут же. Тепе́рь Шува́лов боя́лся поду́мать о чём-ли́бо стра́шном. «В ко́мнату вошёл тигр», — гото́в был поду́мать он про́тив жела́ния,° но успе́л° отвле́чь себя́ от э́той мы́сли... Одна́ко в у́жасе посмотре́л он на дверь. Материализа́ция произошла́, но так как мысль была́ не вполне́ офо́рмлена, то и эффе́кт материализа́ции получи́лся отдалённый° и приблизи́тельный:° в окно́ влете́ла оса́°... она́ была́ полоса́та° и кровожа́дна.°

— Лё́ля! Тигр! — завопи́л° Шува́лов.

holding on

comprehend

act cautiously

action cause
deafening

object

be lodged

be required wet brush freshen

ray

armful

sound pile faucet

sink

sliver of soap

wish

have time

remote approximate

wasp striped bloodthirsty

yell out

2. земно́е притяже́ние gravity
3. с опа́ской warily
4. са́ми... buttons by themselves buttoned up
5. монгольфье́р fire balloon; *from the name Montgolfier, Joseph Michel (1740–1810) and his brother Jacques Etienne (1745–99), French inventors who built the first balloon inflated with heated air.*

Подготовка к чтению

---

1. Ветер поднял её волосы дыбом.

2. От счастья он не чувствовал под собой земли.

3. Приподняв шляпу, он приветливо улыбнулся.

4. Он сидел как на иголках.

5. Учитель призвал класс к вниманию.

6. На траве оставались белые следы от их ног.

7. Неожиданно перед ними открылась полянка.

8. Учёный скосил глаза.

9. Она сняла насекомое с его лба.

10. Что-то сделалось с моими глазами.

---

1. The wind raised her hair on end.

2. He did not feel the ground under his feet for happiness.

3. Raising his hat, he smiled in a friendly manner.

4. He sat on tenterhooks.

5. The teacher called the class to attention.

6. Their white footprints were left on the grass.

7. Unexpectedly a clearing opened before them.

8. The scientist squinted.

9. She took the insect off his forehead.

10. Something has happened to my eyes.

3

Лёля проснýлась. Осá повúсла° на тарéлке. Осá жироскопúчески гудéла.[1] Лёля соскочúла° с кровáти. Осá полетéла на неё. Лёля отмáхивалась° — осá и медальóн летáли вокрýг неё. Шувáлов прихлóпнул° медальóн ладóнью. Онú устрóили° облáву.° Лёля накрýла осý хрустáщей° своéй солóменной° шляпой.

Шувáлов ушёл. Онú распрощáлись° на сквознякé,° котóрый в этом мúре казáлся необычáйно деятельным° и многоголóсым. Сквозняк раскрыл двéри внизý. Он пел, как прáчка.° Он завертéл° цветы на подокóннике, подкúнул° Лёлину шляпу, выпустил° осý и брóсил в салáт. Он пóднял Лёлины вóлосы дыбом. Он свистéл.°

Он пóднял дыбом Лёлину сорóчку.

Онú расстáлись,° и, от счáстья не чýвствуя под собóй ступéнек,° Шувáлов спустúлся° вниз, вышел во двор... Да, он не чýвствовал ступéнек. Дáлее он не почýвствовал крыльцá,° кáмня; тогдá он обнарýжил,° что сиé° не мирáж, а реáльность, что нóги егó висят в вóздухе, что он летúт.

— Летúт на крыльях° любвú, — сказáли в окнé под бóком.[2]

Он взмыл,° толстóвка[3] превратúлась в кринолúн,° на губé° появúлась лихорáдка,° он летéл, прищёлкивая° пáльцами.

В два часá он пришёл в парк. Утомлённый° любóвью и счáстьем, он заснýл на зелёной скамьé. Он спал, выпятив° ключúцы° под расстёгнутой° толстóвкой.

По дорóжке мéдленно, держá на задý° рýки, со степéнностью° ксендзá° и в одеянии° врóде сутáны,° в чёрной шляпе, в крéпких° сúних очкáх, то опускáя, то высокó поднимáя гóлову, шёл неизвéстный мужчúна.

---

1. жироскопúчески... hummed like a gyroscope
2. под бóком nearby
3. толстóвка a man's long belted blouse; *habitually worn by Lev Tolstoy, hence the name*

Margin glosses:
hang / jump off / wave away / slap / organize roundup / rustling straw / say good-bye draft / active / washerwoman whirl / toss up let out / whistle / part / step descend / porch / discover this (*arch.*) / wing / soar up hoop skirt / lip fever blister / snapping / wearied / thrusting out collarbone unbuttoned / posterior / sedateness Catholic priest garment cassock / sturdy

— Я Исаа́к Нью́тон, — сказа́л неизве́стный, при-
подня́в чёрную шля́пу. Он ви́дел сквозь° очки́ свой
си́ний фотографи́ческий мир.

через | through

— Здра́вствуйте, — пролепета́л° Шува́лов.

mutter

Вели́кий учёный° сиде́л пря́мо, насторо́женно,° на
иго́лках. Он прислу́шивался,° его́ у́ши вздра́гивали,°
указа́тельный° па́лец ле́вой руки́ торча́л° в во́здухе,
то́чно призыва́я к внима́нию неви́димый хор,° гото́-
вый ка́ждую секу́нду гря́нуть° по зна́ку э́того па́льца.
Всё притаи́лось° в приро́де. Шува́лов ти́хо спря́тал-
ся° за скамью́. Оди́н раз взви́згнул° под пято́й° его́
гра́вий.° Знамени́тый фи́зик слу́шал вели́кое молча́-
ние приро́ды. Вдали́, над ку́пами° зе́лени,° как в
затме́ние,° обозна́чилась звезда́, и ста́ло прохла́дно.

scientist   on guard
listen attentively   twitch
index   stick out
choir
burst forth
keep quiet
hide   screech   heel
gravel
clump   greenery
eclipse

— Вот! — вдруг вскри́кнул Нью́тон. — Слы́-
шите?...

Не огля́дываясь, он протяну́л ру́ку, схвати́л°
Шува́лова за́ полу° и, подня́вшись, вы́тащил из
заса́ды.° Они́ пошли́ по траве́. Просто́рные° башма-
ки́° учёного мя́гко ступа́ли,° на траве́ остава́лись
бе́лые следы́. Впереди́, ча́сто огля́дываясь, бежа́ла
я́щерица. Они́ прошли́ сквозь ча́щу,° укра́сившую°
пу́хом° и Бо́жьими коро́вками[4] желе́зо° очко́в учёного. Откры́лась поля́нка. Шува́лов узна́л появи́в-
шееся° вчера́ де́ревце.

grab
bottom (*of shirt*)   drag out
ambush   "roomy"
shoe   step

thicket   which had
   decorated
fuzz   "metal frame"

which appeared

— Абрико́сы? — спроси́л он.

— Нет, — раздражённо° возрази́л° учёный, — э́то
я́блоня.°

irritably   object
apple tree

Ра́ма° я́блони, кле́точная° ра́ма её кро́ны, лёгкая
и хру́пкая,° как ра́ма монгольфье́ра, сквози́ла° за
необи́льным° покро́вом ли́стьев. Всё бы́ло не-
подви́жно° и ти́хо.

frame   "checkwork"
fragile   be visible
sparse
motionless

— Вот, — сказа́л учёный, сгиба́я° спи́ну. От со́-
гнутости° его́ го́лос походи́л на рык.° — Вот! — он
держа́л в руке́ я́блоко. — Что э́то зна́чит?

bending
"bent-over position"   growl

Бы́ло ви́дно, что не ча́сто приходи́лось ему́ наги-
ба́ться:° вы́ровнявшись,° он не́сколько раз отки́нул°
спи́ну, ублажа́я° позвоно́чник, ста́рый бамбу́к поз-
воно́чника. Я́блоко поко́илось° на подста́вке° из
трёх па́льцев.

bend over   having straight-
   ened up   throw back
indulging
rest   stand

4. Бо́жья коро́вка   ladybug

— Что это значит? — повторил он, оханьем° мешая° звучанью фразы. — Не скажете ли вы, почему упало яблоко?

Шувалов смотрел на яблоко, как некогда Вильгельм Телль.

— Это закон притяжения, — прошепелявил он.

Тогда, после паузы,° великий физик спросил:

— Вы, кажется, сегодня летали, студент? — так спросил магистр.° Брови° его ушли высоко над очками.

— Вы, кажется, сегодня летали, молодой марксист?

Божья коровка переползла° с пальца на яблоко. Ньютон скосил глаза. Божья коровка была для него ослепительно° синей. Он поморщился. Она снялась с самой верхней точки° яблока и улетела при помощи крыльев, вынутых° откуда-то сзади, как вынимают из-под фрака° носовой платок.[5]

— Вы сегодня, кажется, летали?

Шувалов молчал.

— Свинья,° — сказал Исаак Ньютон.

Шувалов проснулся.

— Свинья, — сказала Лёля, стоявшая над ним. — Ты ждёшь меня и спишь. Свинья!

Она сняла Божью коровку со лба его, улыбнувшись тому, что брюшко у насекомого железное.

— Чёрт! — выругался° он. — Я тебя ненавижу. Прежде я знал, что это Божья коровка, — и ничего другого о ней, кроме того, что она Божья коровка, я не знал. Ну, скажем, я мог бы ещё прийти к заключению,° что имя у неё несколько антирелигиозное. Но вот с тех пор, как мы встретились, что-то сделалось с моими глазами. Я вижу синие груши и вижу, что мухомор° похож на Божью коровку.

groaning

interfering with

pause

master eyebrow

crawl (over)

blindingly

point

taken out

tail coat

pig

swear

conclusion

death cup mushroom

5. носовой платок handkerchief

Подготовка к чтению

1. «Остáвь меня́!» закричáл он. «Мне всё это надоéло».

1. "Leave me alone!" he shouted. "I am sick of all this."

2. Мы с тобóй бóльше не увúдимся.

2. We shall not see each other again.

3. Вы знáете, до чегó я дошёл?

3. Do you know what I have come to?

4. Я не хочý быть свидéтелем вáшего позóра.

4. I do not wish to be a witness of your disgrace.

5. Онú обы́чно пýтаются в детáлях.

5. They usually get confused in details.

6. «Извинúте, мне нéкогда», сказáл он.

6. "Excuse me, I have no time," he said.

7. Емý бы́ло трýдно двúгаться по скóльзкому пóлу.

7. He had trouble moving along the slippery floor.

8. Онá приобретáла схóдство с какóй-то птúцей.

8. She was acquiring a resemblance to some kind of bird.

9. Он не мог определúть, чтò егó окружáет.

9. He could not figure out what surrounded him.

10. Не ходúте за мной, как собáка.

10. Don't follow me about like a dog.

Она́ хоте́ла обня́ть его́.

— Оста́вь меня́! Оста́вь! — закрича́л он. — Мне надое́ло! Мне сты́дно.

Крича́ так, он убега́л, как лань.° Фы́ркая,° ди́кими° скачка́ми,° бежа́л он, отпры́гивая° от со́ственной те́ни, кося́ гла́зом. Запыха́вшись,° он останови́лся. Лёля исче́зла.° Он реши́л забы́ть всё. Поте́рянный° мир до́лжен быть возвращён.°

— До свида́нья, — вздохну́л° он, — мы с тобо́й не уви́димся бо́льше.

Он сел на пока́том° ме́сте, на гре́не,° с кото́рого открыва́лся вид на широча́йшее простра́нство,° усе́янное° да́чами. Он сиде́л на верши́не при́змы, спусти́в° но́ги по пока́тости. Под ним кружи́л° зонт моро́женщика,° весь вы́езд° моро́женщика, чем-то напомина́ющий° негритя́нскую° дере́вню.

— Я живу́ в раю́,° — сказа́л молодо́й маркси́ст расква́шенным° го́лосом.

— Вы маркси́ст? — прозвуча́ло ря́дом.

Молодо́й челове́к в чёрной шля́пе, знако́мый дальто́ник, сиде́л с Шува́ловым в ближа́йшем сосе́дстве.°

— Да, я маркси́ст, — сказа́л Шува́лов.

— Вам нельзя́ жить в раю́.

Дальто́ник поѝгрывал° пру́тиком.° Шува́лов вздыха́л.

— Что же мне де́лать? Земля́ преврати́лась в рай.

Дальто́ник посви́стывал.° Дальто́ник почёсывал° пру́тиком в у́хе.

— Вы зна́ете, — продолжа́л, хны́кая,° Шува́лов, — вы зна́ете, до чего́ я дошёл? Я сего́дня лета́л.

В не́бе ко́со,° как почто́вая ма́рка, стоя́л змей.°

— Хоти́те я продемонстри́рую вам... я полечу́ туда́. (Он протяну́л ру́ку).

— Нет, спаси́бо. Я не хочу́ быть свиде́телем ва́шего позо́ра.

— Да, э́то ужа́сно, — помолча́в, мо́лвил° Шува́лов. — Я зна́ю, что э́то ужа́сно.

Marginal glosses:
- doe   snorting
- wild   leap   jumping away
- out of breath
- disappear
- lost   returned
- sigh
- slanted   crest
- expanse
- dotted
- having lowered   circle
- ice cream vendor   "turn-out"
- reminding   Negro
- paradise
- "gone to pieces"
- proximity
- play around   twig
- whistle   scratch
- whimpering
- askew   kite
- say

— Я вам зави́дую, — продолжа́л он.

— Неуже́ли?° really

— Че́стное сло́во.[1] Как хорошо́ весь мир воспри-
нима́ть пра́вильно и пу́таться то́лько в не́которых
цветовы́х дета́лях, как э́то происхо́дит с ва́ми. Вам
не прихо́дится жить в раю́. Мир не исче́з для вас.
Всё в поря́дке. А я? Вы поду́майте, я соверше́нно
здоро́вый челове́к, я материали́ст... и вдруг на мои́х
глаза́х начина́ет происходи́ть престу́пная° антинау́ч- criminal
ная дефо́рмация веще́ств,° мате́рии°... substance matter

— Да, э́то ужа́сно, — согласи́лся° дальто́ник: — agree
И всё э́то от любви́.

Шува́лов с неожи́данной° горя́чностью° схвати́л unexpected fervor
сосе́да за́ руку.

— Слу́шайте! — воскли́кнул° он. — Я согла́сен. exclaim
Да́йте мне ва́шу ра́дужную оболо́чку[2] и возьми́те
мою́ любо́вь.

Дальто́ник поле́з по пока́тости вниз.

— Извини́те, — говори́л он. — Мне не́когда. До
свида́нья. Живи́те себе́ в раю́.[3]

Ему́ тру́дно бы́ло дви́гаться по накло́ну.° Он полз slope
раскоря́кой,[4] теря́я схо́дство° с челове́ком и при- resemblance
обрета́я схо́дство с отраже́нием° челове́ка в воде́. reflection
Наконе́ц, он добра́лся° до ро́вной пло́скости[5] и reach
ве́село зашага́л.° Зате́м, подки́нув° пру́тик, он посла́л walk off after tossing up
Шува́лову поцелу́й и крик.

— Кла́няйтесь° Е́ве! — кри́кнул он. give regards

А Лёля спала́. Че́рез час по́сле встре́чи с дальто́-
ником Шува́лов отыска́л° её в не́драх° па́рка, в find "depths"
сердцеви́не.° Он не был натурали́стом, он не мог heart
определи́ть, что́ окружа́ет его́: оре́шник,° боя́ры- hazelnut
шник,° бузина́° и́ли шипо́вник.° Со всех сторо́н hawthorn elder
насе́ли° на него́ ве́тви, куста́рники,° он шёл, как   sweetbrier
коробе́йник,° нагружённый° лёгким сплете́нием° move in shrub
сгуща́вшихся° к сердцеви́не ветве́й. Он сбра́сывал с peddler loaded
себя́ э́ти корзи́ны, высыпа́вшие на него́ ли́стья,   intertwining
лепестки́, шипы́, я́годы и птиц.[6] thickening

1. Че́стное сло́во   (My) Word of honor.
2. ра́дужная оболо́чка   iris (*of the eye*)
3. Живи́те...   Go on living in paradise.
4. он полз...   he was crawling with arms and legs outstretched
5. ро́вной...   flat surface
6. корзи́ны...   baskets that were spilling leaves, petals, thorns,
   berries, and birds on him

Лёля лежа́ла на спине́, в ро́зовом пла́тье, с откры́-
той гру́дью.° Она́ спала́. Он слы́шал, как потре́с-
кивают° плёнки° в её набря́кшем° от сна носу́. Он
сел ря́дом.

Зате́м он положи́л го́лову к ней на грудь, па́льцы
его́ чу́вствовали си́тец,° голова́ лежа́ла на по́тной°
груди́ её, он ви́дел сосо́к° её, ро́зовый, с не́жными,
как пе́нка° на молоке́, морщи́нами.° Он не слы́шал
шо́роха,° вздо́ха, тре́ска° су́чьев.°

Дальто́ник возни́к за переплётом° куста́. Куст не
пуска́л° его́.

— Послу́шайте, — сказа́л дальто́ник.

Шува́лов по́днял го́лову с услащённой° щеко́й.°

— Не ходи́те за мной, как соба́ка, — сказа́л
Шува́лов.

— Слу́шайте, я согла́сен. Возьми́те мою́ ра́дуж-
ную оболо́чку и да́йте мне ва́шу любо́вь.

— Иди́те поку́шайте° си́них груш, — отве́тил
Шува́лов.

<!-- glossary margin -->
bosom
crackle membrane
   swollen

cotton print   perspiring
nipple
skin   wrinkle
rustle   crackle   twig
framework
let pass

sweetened   cheek

eat

Вопросы | Любовь

1

1. О чём поду́мал Шува́лов, уви́дев я́щерицу?
2. Что он заме́тил, наблюда́я за полётом птиц и насеко́мых?
3. Почему́ он рассма́тривал насеко́мых?
4. Каки́е вы́воды он успе́л сде́лать?
5. Почему́ он пуга́лся свои́х мы́слей?
6. Кто пришёл вме́сто Лёли?
7. Почему́ молодо́й челове́к сказа́л, что он зави́дует Шува́лову?
8. Что рассказа́л он Шува́лову о себе́?
9. Почему́ дальто́ник ушёл?
10. Что сказа́л он, уходя́?

2

1. Что поду́мали Шува́лов и дальто́ник о шу́ме листвы́?
2. Почему́ Шува́лов сде́лал тако́й вы́вод?
3. Что случи́лось, когда́ пришла́ Лёля?
4. Что уви́дел Шува́лов на том ме́сте, куда́ упа́ла ко́сточка?
5. Что рассказа́л он Лёле?
6. Что уви́дел он на обо́ях пе́ред тем, как засну́ть?
7. Что заме́тил он у́тром?
8. Почему́ он со стра́хом посмотре́л на дверь?
9. Как Шува́лов разбуди́л Лёлю?

3

1. Пойма́ли ли Шува́лов и Лёля осу́?
2. Что услы́шал Шува́лов, выходя́ и́з дому?
3. Почему́ Шува́лов оказа́лся опя́ть в па́рке и почему́ он засну́л?
4. Кто сел ря́дом с ним?
5. Как он предста́вился?
6. В како́й по́зе он сиде́л?
7. Куда́ спря́тался Шува́лов?
8. На како́й вопро́с Шува́лов не хоте́л отвеча́ть?

9. Отчего́ Шува́лов просну́лся?
10. Как описа́л он переме́ну, происше́дшую с ним?

4

1. Почему́ Шува́лов убежа́л от Лёли?
2. Како́й вид открыва́лся пе́ред ним?
3. Кто оказа́лся ря́дом с Шува́ловым?
4. О чём рассказа́л ему́ Шува́лов?
5. Почему́ дальто́ник не хоте́л, что́бы Шува́лов показа́л ему́, как он лета́ет?
6. Почему́ Шува́лов зави́довал дальто́нику?
7. Что предложи́л ему́ Шува́лов?
8. Что отве́тил на э́то дальто́ник?
9. Где нашёл Шува́лов Лёлю?
10. Согласи́лся ли Шува́лов на предложе́ние дальто́ника?

ВЛАДИ́МИР ВЛАДИ́МИРОВИЧ НАБО́КОВ

(*1899–*)

Vladimir Nabokov, who was recently described by John Updike as "the best writer of English prose at present holding American citizenship," is better known today as an American writer and as such hardly needs introduction to English-speaking readers. But he also holds an important—in fact, a unique—place in contemporary Russian literature.

The oldest son of a well-known Russian jurist and liberal politician, Nabokov left Russia with his family during the Civil War and came to England in 1919. In 1922 he graduated from the University of Cambridge where he majored in zoology (specializing in entomology) and in French and Russian literature. From 1922 to 1937 he lived in Berlin, earning his livelihood by giving lessons in English and tennis. After 1933 his position in Nazi Germany became very unpleasant because he was married to a Russian of Jewish extraction. He managed to leave Berlin for Paris in 1937 and came to the United States in 1940, where he lived until moving to Switzerland a few years ago.

In America Nabokov worked in two fields. As a lepidopterist he published scientific papers and some species of butterflies are named after him. As a professor of Russian literature, he taught first at Wellesley College and later at Cornell University. He gave up this position after the resounding success of *Lolita*.

His Russian work, published mostly under the penname "V. Sirin," consists of three volumes of poetry (two of which are juvenilia), three volumes of stories (including some later verse), eight novels, an auto-biography entitled **Другие берега** (*Other Shores*), and translations of Lewis Carroll's *Alice in Wonderland* and Romain Rolland's *Colas Breugnon*, not to mention a number of verse translations scattered in various periodicals. Nabokov's first fictional work to be written and published in English was *The Real Life of Sebastian Knight* (1941). It was followed by a book on Gogol (1944) and by four other novels (*Bend Sinister*, *Lolita*, *Pnin*, and *Pale Fire*). His stories written in English to-gether with some that he himself translated (or rather adapted) are to be found in the volume *Nabokov's Dozen*. To these works must be added the autobio-graphy, which was written in English and first pub-lished under the title *Conclusive Evidence*,[1] and a volume of English poems (1959). His translations in-clude *The Song of Igor's Campaign* and the controversial four-volume edition of Pushkin's *Eugene Onegin* with an extensive commentary. An earlier small volume (*Three Russian Poets*, 1944) includes excellent render-ings of Pushkin's verse plays *Mozart and Salieri* and *A Feast During the Plague* and of some poems by Pushkin, Lermontov, and Tyutchev.

The story selected by us is taken from Nabokov's first volume of stories, **Возвращение Чорба** (*The Return of Chorb*, 1930). Nabokov has written better stories, but they are too difficult or too long for the purposes of this volume. The story chosen by us enables the reader to glimpse at Nabokov's "creative laboratory" and pro-vides a foretaste of some of the characteristic devices and artifices of his later art. The two salient character-istics of his art as a writer are the intense keenness of his vision (combined with verbal felicity, an uncanny mastery of words) and his delight and skill in combin-atory literary games. These traits are closely related to his two extra-literary "passions"—the first to lepidop-tery and the second to chess, especially composing chess problems.

The critic in "Пассажир" ("The Passenger") bears a

1. Later renamed *Speak, Memory*; the Russian version was an adap-tation of it.

certain resemblance to the well-known Russian impressionist critic Julius Aikhenvald, who was a friend of Nabokov's and is mentioned in Nabokov's autobiography. Aikhenvald died in 1928 in Berlin after having been knocked down by a streetcar.

Подгото́вка к чте́нию

1. Нам остаётся то́лько слу́шать.	1. All that is left for us is to listen.
2. А́втор ввёл но́вых персона́жей для того́, что́бы расска́з получи́лся бо́лее занима́тельным.	2. The author introduced new characters to make the story more entertaining.
3. Дом был снабжён всем необходи́мым.	3. The house was provided with everything necessary.
4. Мы э́то де́лаем то́лько в уго́ду вам.	4. We do this only to please you (for your sake).
5. По э́тому по́воду я могу́ вам сообщи́ть сле́дующий слу́чай.	5. Apropos of this, I can tell you the following instance.
6. Я лёг на́взничь и подложи́л под го́лову ру́ки.	6. I lay down flat on my back and put my hands under my head.
7. Э́тот расска́з обеща́ет быть интере́сным.	7. This story promises to be interesting.
8. Э́та сце́на произвела́ на меня́ гнету́щее впечатле́ние.	8. This scene had a depressing effect on me.
9. Меня́ трево́жило, что я так и не увида́л его́ лица́.	9. I was disturbed because I never got to see his face.
10. Я стара́лся предста́вить себе́ о́блик э́того челове́ка.	10. I tried to visualize the appearance of this man.
11. Стра́нно, что таки́е пустяки́ могли́ меня́ волнова́ть.	11. It's strange that such trifles could disturb me.
12. Как бы то ни́ было, сон ко мне не шёл.	12. Be that as it may, sleep did not come to me.
13. Я не могу́ отде́латься от э́того впечатле́ния.	13. I cannot rid myself of this impression.

Пассажи́р

1

— Да, жизнь тала́нтливее нас, — вздохну́л° писа́тель, посту́кивая° карто́нным° концо́м папиро́сы о кры́шку портсига́ра.[1] — Иногда́ она́ приду́мывает° таки́е те́мы... Куда́ нам до неё![2] Её произведе́ния° неперводи́мы,° непередава́емы°...

— Все права́ закреплены́ за а́втором,[3] — улыбну́вшись,° подсказа́л° кри́тик, скро́мный, близору́кий° челове́к с то́нкими, подви́жными° па́льцами.

— Нам остаётся то́лько жу́лить,° — продолжа́л писа́тель, рассе́янно° бро́сив спи́чку в пусту́ю рю́мку° кри́тика. — Нам остаётся де́лать с её творе́ниями° то, что де́лает фи́льмовый режиссёр° с изве́стным рома́ном. Режиссёру ну́жно, что́бы го́рничным° в суббо́тний ве́чер бы́ло нески́чно, и потому́ он э́тот рома́н меня́ет до неузнава́емости,[4] кро́шит° его́, вывора́чивает,° выбра́сывает° ты́сячу эпизо́дов, вво́дит приду́манные им сами́м происше́ствия,° но́вых персона́жей, — и всё для того́, что́бы получи́лся занима́тельный фильм, развива́ющийся° без вся́ких поме́х,° кара́ющий° в нача́ле доброде́тель,° а в конце́ — поро́к,° соверше́нно есте́ственный° в свое́й усло́вности,° и, гла́вное, снабжённый неожи́данной, но всё разреша́ющей° развя́зкой.° Вот то́чно

sigh	
tapping	cardboard
invent	
work	
untranslatable	
inexpressible	
smiling	prompt
nearsighted	nimble
cheat	
absentmindedly	
wineglass	
creation	director
chambermaid	
chop	
turn inside out	throw out
incident	
developing	
hitch	chastizing virtue
vice	natural
conventionality	
solving	dénouement

---

1. о кры́шку... on the lid of his cigarette case
2. Куда́ нам до неё! We are no match for it!
3. Все... all rights are vested in the author
4. меня́ет... changes beyond recognition

так же и те́мы жи́зни мы меня́ем по сво́ему, стре-
мя́сь° к како́й-то усло́вной гармо́нии, к худо́жествен-
ной° сжа́тости.° Приправля́ем° наш пре́сный°
плагиа́т° со́бственными вы́думками.° Нам ка́жется,
что жизнь твори́т сли́шком разма́шисто° и неро́вно,
что её ге́ний сли́шком неря́шлив,° мы в уго́ду на́шим
чита́телям выкра́иваем° из её свобо́дных рома́нов
на́ши аккура́тные° расска́зики, *ad usum delphini*.[5]
Позво́льте° же по э́тому по́воду вам сообщи́ть сле́-
дующий слу́чай.

    Е́хал я в экспре́ссе, в спа́льном ваго́не. Я о́чень
люблю́ доро́жное новосе́лье,[6] — холоднова́тое
бельё на ко́йке,° фонари́° ста́нции, кото́рые тро́нув-
шись° ме́дленно прохо́дят за чёрным стекло́м° окна́.
Бы́ло мне прия́тно, по́мнится, что надо мной, на
ве́рхней ко́йке, никого́ нет. Разде́вшись,° я лёг
на́взничь, подложи́л под заты́лок° ру́ки, — и лёгкость у́зкого казённого° одея́ла° была́ пря́мо-таки
сла́достна по́сле пу́хлости оте́льных пери́н.[7] По-
мечта́в° кое-о-чём,° — мне о ту по́ру[8] хоте́лось пи-
са́ть по́весть из жи́зни ваго́нных убо́рщиц,° — я
вы́ключил° свет и о́чень ско́ро усну́л.° И тут раз-
реши́те мне употреби́ть° приём,° часте́нько° встре-
ча́ющийся° в таки́х и́менно расска́зах, каки́м обеща́ет
быть мой. Вот он, — э́тот ста́рый, хорошо́ вам из-
ве́стный приём. «Среди́ но́чи я внеза́пно° проснýлся».
Впро́чем° да́льше сле́дует кое-что́ посвеже́е.° Я про-
сну́лся и уви́дел но́гу.

    — Винова́т?[9] — переспроси́л° скро́мный кри́тик,
пода́вшись° вперёд и подня́в° указа́тельный° па́лец.

    — Я уви́дел но́гу, — повтори́л писа́тель. — От-
деле́ние° бы́ло освещено́,° и по́езд стоя́л на како́й-то
ста́нции. Нога́ была́ мужска́я,° кру́пная,° в гру́бом°
пёстром° носке́, продыря́вленном синева́тым но́гтем
большо́го па́льца.[10] Она́ пло́тно° стоя́ла на ле́сенке°
у са́мого моего́ лица́, и её облада́тель,° скры́тый° от

	aspiring
	artistic compression season insipid
	plagiarism invention
	sweeping
	slovenly
	cut out
	neat
	allow
	berth light
	setting off pane
	having undressed
	nape
	official blanket
	after musing over this and that
	cleaning woman
	turn off fall asleep
	use device fairly often
	encountered
	suddenly
	though a little fresher
	ask again
	leaning raising index
	compartment lighted up
	man's large coarse
	varicolored
	firmly "steps"
	owner hidden

---

5. *ad usum delphini* for the dauphin's use, *i.e., a simplified version*
6. доро́жное новосе́лье a housewarming on the road
7. пря́мо-таки... simply delightful after the plumpness of hotel
featherbeds
8. о ту по́ру at that time
9. Винова́т? I beg your pardon?
10. продыря́вленном... with a hole made by the bluish nail of his
big toe

меня навесом° вéрхней кóйки, как раз собирáлся
сдéлать послéднее усúлие,° чтóбы взобрáться° на
свою галёрку.° Я успéл хорошéнько рассмотрéть
эту нóгу, сéрый в чёрную клéтку носóк,[11] фиолéто-
вую úжицу° подвязки° сбóку° на тóлстой икрé.°
Сквозь трикó° длúнного подштáнника° неприятно
торчáли° волоскú.° Вообщé ногá былá препротúв-
ная.° Покá я на неё смотрéл, онá напряглáсь,°
пошевелúла° рáза два цéпким° большúм пáльцем,
наконéц сúльно оттолкнýлась° и взвилáсь° навéрх.
Там, наверхý, послышалось кряхтéние,° посáпыва-
ние,° — всё звýки, по котóрым я мог судúть° о том,
что человéк уклáдывается° спать. Затéм свет погáс,°
и чéрез нéсколько мгновéний° пóезд трóнулся.

Я не знáю, как вам объяснúть, — эта ногá произ-
велá на меня впечатлéние гнетýщее. Пёстрая, мягкая
гáдина.° И меня тревóжило то, что из всегó человéка
я знал тóлько эту недóбрую нóгу, а фигýры, лицá
так и не увидáл. Егó кóйка, котóрая образóвывала°
надо мнóй нúзкий, тёмный потолóк, тепéрь казáлась
нúже, я слóвно ощущáл её тяжесть.[12] Как я ни
старáлся предстáвить себé óблик моегó ночнóго
спýтника,° всё у меня торчáл пéред глазáми этот
крýпный нóготь, блестéвший° синевáтым перла-
мýтром° сквозь дырку шерстянóго° носкá. Вообщé
стрáнно, конéчно, что такúе пустякú моглú меня
волновáть, — но ведь с другóй стороны, не есть ли
всякий писáтель úменно человéк, волнýющийся по
пустякáм? Как бы то нú было, сон ко мне не шёл. Я
прислýшивался,° — не храпúт° ли мой невéдомый°
пассажúр? Мне показáлось, что он не храпúт, а
стóнет,° — но, как извéстно, ночнóй колёсный° стук°
поощряет° галлюцинáции слýха. Однáко, я не мог
отдéлаться от впечатлéния, что там, надо мнóй,
раздаются° какúе-то необыкновéнные звýки. Я
слегкá° приподнялся.° Звýки стáли яснéе. Человéк на
вéрхней кóйке рыдáл.°

11. сéрый... grey, black-checked sock
12. я слóвно... I seemed to feel its heaviness

Подготовка к чтению

1. Прости́те, я не расслы́шал, что̀ вы сказа́ли.

2. Склони́в го́лову на́ бок, он продолжа́л слу́шать.

3. Рыда́ния души́ли его́.

4. Э́то была́ жа́лкая паро́дия на смех.

5. Он не унима́лся.

6. Я помину́тно сту́кался голово́й о край ве́рхней ко́йки.

7. Он лежа́л ко мне спино́й, накры́вшись с голово́й одея́лом.

8. От э́того у меня́ кружи́лась голова́.

9. Вы то́же вылеза́ете на э́той ста́нции?

10. К на́шему удивле́нию по́езд останови́лся на пусты́нном полуста́нке.

11. Он скользну́л глаза́ми по моему́ лицу́.

1. Excuse me, I couldn't make out what you said.

2. Inclining his head to the side he continued to listen.

3. Sobs choked him.

4. It was a wretched parody of a laugh.

5. He would not quiet down.

6. I kept banging my head on the edge of the upper berth.

7. He lay with his back to me, his head covered with the blanket.

8. My head spun from that.

9. Are you also getting off at this station?

10. To our surprise, the train stopped at a small, deserted station.

11. He ran his eyes over my face.

2

— Как вы сказа́ли? — прерва́л° кри́тик. — Рыда́л? Так, так. Прости́те, я не расслы́шал. — И, сно́ва урони́в° ру́ки на коле́ни и склони́в на́ бок го́лову, он продолжа́л слу́шать расска́зчика.

— Да, он рыда́л, — и его́ рыда́ния бы́ли ужа́сны. Рыда́ния души́ли° его́, он шу́мно выпуска́л° во́здух, как бу́дто вы́пив за́лпом° литр воды́, и за э́тим сле́довало бы́строе всхли́пывание° с закры́тым ртом, кака́я-то стра́шная паро́дия на куда́хтание,° — и опя́ть вдыха́ние,° и опя́ть ме́лкие° рыда́ющие вы́дохи,° но уже́ с откры́тым ртом, — су́дя по хаха́кающему° зву́ку. И всё э́то на ша́тком° фо́не° колёсной стукотни́,° ста́вшей° тем са́мым[1] как бы дви́жущейся ле́стницей,[2] по кото́рой всходи́ли и спуска́лись° его́ рыда́ния. Я лежа́л не шевеля́сь и слу́шал, — и при э́том чу́вствовал, что у меня́ в темноте́ преглу́пое° лицо́: всегда́ стано́вится нело́вко,° когда́ рыда́ет чужо́й челове́к.[3] А тут ещё я был нево́льно° свя́зан° с ним тем, что мы лежи́м на двух по́лках,° в одно́м и том же отделе́нии, в одно́м и том же безуча́стно° мча́вшемся° по́езде. И он не унима́лся, — э́то ужа́сное тру́дное всхли́пывание не отстава́ло° от меня́: мы о́ба, я — внизу́ — слу́шающий, — он — наверху́ — рыда́ющий, лете́ли бо́ком° в ночну́ю даль° со ско́ростью° восьми́десяти кило́метров в час, и то́лько железнодоро́жная° катастро́фа° могла́ бы рассе́чь° на́шу нево́льную связь. Пото́м он как бу́дто переста́л, — но то́лько я собра́лся усну́ть, сно́ва заклокота́ли° его́ рыда́ния, и мне каза́лось да́же, что вперемёжку° со всхли́пывающими вздо́хами он произно́сит каки́е-то слова́, нутряны́м° го́лосом, живото́м. Он сно́ва замо́лк,° то́лько поса́пывал; и я лежа́л с закры́тыми глаза́ми и ви́дел в воображе́нии° его́ отврати́тельную° но́гу в кле́тчатом носке́. Я всё-таки усну́л, а в полови́не

1. тем са́мым   by the same token
2. дви́жущейся...   escalator
3. чужо́й...   stranger

шесто́го утра́ проводни́к° рвану́л° дверь, разбуди́л меня́, и, си́дя° на ко́йке, помину́тно сту́каясь голово́й о край ве́рхней ко́йки, я стал поспе́шно° одева́ться. Перед тем, как вы́йти с чемода́нами в коридо́р, я огляну́лся° на ве́рхнюю ко́йку, но он лежа́л ко мне спино́й, накры́вшись с голово́й одея́лом. В коридо́ре бы́ло светло́, со́лнце то́лько что вста́ло, си́няя, све́жая тень° по́езда бежа́ла по траве́, по куста́м,° изгиба́ясь,° взлета́ла на ска́ты,° ряби́ла по стола́м мелька́ющих берёз,[4] — и ослепи́тельно° просия́л° удлинённый° прудо́к° посреди́не по́ля, ме́дленно су́зился,° преврати́лся в сере́бряную щель,[5] и с бы́стрым гро́хотом° проскочи́л° до́мик, шлагба́ум,° хлестну́ла° хвосто́м° доро́га, — и опя́ть замелька́ли пятни́стым° частоко́лом,° от кото́рого кружи́лась голова́, бесчи́сленные,° со́лнцем испещрённые° берё-зы. Кро́ме меня́, в коридо́ре стоя́ли две за́спанные,° на́скоро подкра́шенные° да́мы и старичо́к° в за́мше-вых° перча́тках° и доро́жном карту́зе.° Я ненави́жу встава́ть ра́но, — упои́тельнейший° рассве́т° в ми́ре не мо́жет мне замени́ть° часы́ сла́дкого у́треннего сна, — и поэ́тому я то́лько хму́ро° кивну́л,° когда́ старичо́к обрати́лся° ко мне: «Вы то́же вылеза́ете в...?» И он назва́л большо́й го́род, куда́ мы должны́ бы́ли прие́хать че́рез де́сять-пятна́дцать мину́т.

Берёзы вдруг рассе́ялись,° полдю́жины° доми́шек посы́пали° с холма́,° едва́ второпя́х° не попа́в° под по́езд, зате́м прошага́ла,° блиста́я° стёклами, огро́мная багро́вая° фа́брика, чей-то шокола́д окли́кнул° нас с пятисаже́нного объявле́ния,[6] опя́ть фабри́чный ко́рпус,° стёкла, тру́бы, одни́м сло́вом, происходи́ло всё то, что происхо́дит, когда́ подъез-жа́ешь к большо́му го́роду. Но вот, к на́шему удивле́нию, по́езд судорожно° затормози́л° и оста-нови́лся на пусты́нном полуста́нке, где, каза́лось бы, экспре́ссу не́чего де́лать. Меня́ удиви́ло и то, что на платфо́рме стоя́т не́сколько полице́йских. Я опу-сти́л° око́нную ра́му° и вы́сунулся.° — «Закро́йте

Margin glosses:

attendant · jerk
sitting
hurriedly

glance back

shadow · bush
curving · embankment
blindingly · shine
elongated · pond (*dim.*)
narrow
roar · jump past · barrier
lash · tail
spotted · paling
countless · mottled
sleepy
made up · old man (*dim.*)
suede · glove · cap
ravishing · dawn
replace
gloomily · nod
address

disperse · half a dozen
scatter · hill · "in their haste" · getting
stride past · glittering
crimson
hail
block

convulsively · brake

lower · sash · lean out

---

4. ряби́ла... flickered along the trunks of the flashing birches
5. преврати́лся... turned into a silver slit
6. с пятисаже́нного объявле́ния from a "mile-high" billboard (са́жень = *2,134 meters*)

окно́», — ве́жливо° сказа́л оди́н из них. Лю́ди в
коридо́ре заволнова́лись.° Прошёл конду́ктор; я
спроси́л, в чём де́ло. «В по́езде нахо́дится престу́п-
ник»,° — отве́тил он и кра́тко° объясни́л на ходу́,[7] что
в го́роде, че́рез кото́рый мы проезжа́ли но́чью,
случи́лось накану́не° уби́йство,° — муж застрели́л°
жену́ и её любо́вника. Да́мы а́хнули,° старичо́к по-
кача́л° голово́й. В коридо́р вошли́ дво́е полице́йских
и краснощёкий° кру́гленький сы́щик° в котелке́,° по-
хо́жий на букмэ́кера.° Меня́ попроси́ли верну́ться в
купэ́.° Полице́йские оста́лись стоя́ть в коридо́ре, а
сы́щик принялся́° обходи́ть отделе́ния. Я показа́л
ему́ па́спорт. Он скользну́л ры́жими° глаза́ми по
моему́ лицу́ и о́тдал мне бума́ги. Мы стоя́ли в те́с-
ном° купэ́, на ве́рхней ко́йке неподви́жно° лежа́ла
тёмная, завёрнутая с голово́й[8] фигу́ра.

politely
be agitated

criminal   briefly

day before   murder   shoot
gasp
shake
red-cheeked   detective
  bowler
bookmaker
compartment
start
reddish-yellow

close   motionless

7. на ходу́   on the go
8. завёрнутая...   completely wrapped up (*that is*, including the head)

Подготовка к чтению

1. Мне стáло не по себé.

2. С тóчки зрéния писáтеля это óчень интерéсно.

3. Не слишком увлекáйтесь этим.

4. В жизни мнóго необычáйного.

5. Мáло ли чтò мóжно придýмать.

6. Мóжет быть, онá имéла в видý нéчто совсéм другóе.

7. Гóре в том, что я не узнáл, отчегó он плáкал.

8. Я заступáюсь за негó.

1. I felt ill at ease.

2. From a writer's point of view this is very interesting.

3. Don't be too much carried away by this.

4. There are many extraordinary things in life.

5. One can invent goodness knows what.

6. Perhaps she had something quite different in mind.

7. The trouble is that I did not find out what he was crying about.

8. I intercede for him.

«Вы мо́жете вы́йти», — сказа́л мне сы́щик и протя-
ну́л° ру́ку наве́рх на ко́йку. «Ва́ши бума́ги, пожа́- stretch
луйста». Фигу́ра в одея́ле храпе́ла. Сто́я у откры́той
две́ри, я слу́шал э́тот храп, и мне каза́лось, что в нём
ещё посви́стывают° о́тзвуки° ночны́х рыда́ний. whistle echo
«Пожа́луйста, просни́тесь», — гро́мче сказа́л сы́щик
и каки́м-то профессиона́льным же́стом° дёрнул° за gesture tug
край се́рого одея́ла, у ше́и° спя́щего. Тот шевельну́л- neck
ся, но продолжа́л храпе́ть. Сы́щик потря́с° его́ за shake
плечо́.° Мне ста́ло не по себе́, я отверну́лся и при- shoulder
ня́лся гляде́ть° в коридо́рное окно́, но ничего́ не gaze
ви́дел, а всем существо́м° слу́шал, что́ происхо́дит в being
купэ́.

И предста́вьте себе́, я не услы́шал ро́вно° ничего́ absolutely
осо́бенного. Со́нно заворча́л° челове́к на ве́рхней growl
ко́йке, сы́щик отчётливо° потре́бовал° докуме́нты, distinctly demand
отчётливо поблагодари́л, вы́шел из купэ́, вошёл в
сле́дующее. Вот и всё. А ведь каза́лось, как вы́шло
бы великоле́пно° — с то́чки зре́ния писа́теля, ко- splendidly
не́чно, — е́сли бы рыда́ющий пассажи́р с недо́брыми
нога́ми оказа́лся уби́йцей, как великоле́пно мо́жно
бы́ло бы объясни́ть его́ ночны́е слёзы, — и, гла́в-
ное,° как великоле́пно всё бы э́то уложи́лось° в above all fit
ра́мки моего́ ночно́го путеше́ствия, в ра́мки коро́т-
кого расска́за. Но, повиди́мому,° за́мысел° а́втора, evidently design
за́мысел жи́зни, был и в э́том слу́чае, как всегда́,
стокра́т° великоле́пнее. a hundred times

Писа́тель вздохну́л и замо́лк, поса́сывая° давно́ sucking
поту́хшую,° в коне́ц разжёванную и заму́сленную gone out
папиро́су.[1] Кри́тик гляде́л на него́ до́брыми глаза́ми.

— Призна́йтесь,° — опя́ть заговори́л писа́тель,— admit
вы бы́ли уве́рены, начина́я с той мину́ты, когда́ я
упомяну́л° о полице́йских на полуста́нке, что мой mention
рыда́ющий пассажи́р — престу́пник?

— Я зна́ю ва́шу мане́ру, — сказа́л кри́тик, ко́нчи-
ками° па́льцев косну́вшись° плеча́ собесе́дника° и, tip touching interlocutor

---

1. в коне́ц... completely chewed over and fingered

свойственным° ему́ же́стом, сра́зу отдёрнул° ру́ку... peculiar   jerk back
— Е́сли бы вы писа́ли детекти́вный расска́з, вы бы
сде́лали иско́мым° злоде́ем° не того́, кого́ никто́ из sought for   villain
геро́ев не подозрева́ет,° а того́, кого́ с са́мого на- suspect
ча́ла подозрева́ют все, и тем са́мым провели́° бы fool
о́пытного° чита́теля, привы́кшего° к тому́, что ла́р- experienced   accustomed
чик открыва́ется непро́сто.[2] Я зна́ю, что впечатле́-
ние° неожи́данности° вы лю́бите дава́ть путём impression   unexpectedness
са́мой есте́ственной развя́зки.[3] Но не сли́шком
увлека́йтесь э́тим. В жи́зни мно́го слу́чайного, но и
мно́го необыча́йного. Сло́ву дано́ высо́кое пра́во° right
из случа́йности создава́ть° необыча́йность, необы- create
ча́йное де́лать не случа́йным. Из да́нного слу́чая, из
да́нных случа́йностей вы могли́ бы сде́лать вполне́° entirely
завершённый° расска́з, е́сли бы преврати́ли° ва́шего rounded off   transform
пассажи́ра в уби́йцу.

Писа́тель опя́ть вздохну́л:

— Да-да, я об э́том ду́мал. Я приба́вил° бы не́- add
сколько дета́лей. Я намекну́л° бы на то, что уби́йца hint
стра́стно° люби́л жену́. Ма́ло ли что́ мо́жно приду́- passionately
мать. Но го́ре в том, что неизве́стно, мо́жет быть
жизнь име́ла в виду́ не́что совсе́м друго́е, не́что
куда́° бо́лее то́нкое,° глубо́кое. Го́ре в том, что я не "a lot"   subtle
узна́л, почему́ рыда́л пассажи́р, и никогда́ э́того не
узна́ю...

— Я заступа́юсь за сло́во, — мя́гко сказа́л кри-
тик. — Вы, писа́тель, по кра́йней ме́ре, со́здали бы
я́ркое° разреше́ние.° Ваш геро́й, мо́жет ста́ться,[4] striking   solution
пла́кал потому́, что потеря́л бума́жник° на вокза́ле. wallet
У меня́ был знако́мый, — взро́слый мужчи́на необы-
ча́йно во́инственной° нару́жности,° — кото́рый пла́- bellicose   appearance
кал в го́лос,[5] когда́ у него́ боле́ли зу́бы. Нет-нет,
спаси́бо. Бо́льше мне не налива́йте.° Доста́точно, pour
вполне́ доста́точно.

2. ла́рчик... the casket is not easily opened. *The phrase is an allusion
to a line from the Russian fabulist Ivan Krylov (c. 1769–1844):* «А
ла́рчик про́сто открыва́лся».
3. путём... by means of the most natural dénouement
4. мо́жет ста́ться maybe
5. пла́кал в го́лос bawled

Вопро́сы | Пассажи́р

1

1. Ме́жду кем происхо́дит разгово́р в нача́ле расска́за?
2. Опиши́те кри́тика.
3. Что о́бщего, по мне́нию писа́теля, ме́жду писа́телями и кинорежиссёрами?
4. На како́м по́езде писа́тель е́хал?
5. Почему́ ему́ бы́ло прия́тно в по́езде?
6. Что он уви́дел, просну́вшись среди́ но́чи?
7. Почему́ он не ви́дел всего́ челове́ка?
8. Почему́ то, что он уви́дел, произвело́ на него́ неприя́тное впечатле́ние?
9. Чем писа́тель объясни́л своё волне́ние?
10. Что он вско́ре услы́шал?

2

1. Как опи́сывает писа́тель рыда́ния своего́ ночно́го сосе́да?
2. Почему́ писа́тель чу́вствовал, что у него́ глу́пое выраже́ние лица́?
3. Почему́ он до́лго не мог засну́ть?
4. Что уви́дел он, выходя́ из купэ́?
5. Что проноси́лось за окно́м по́езда?
6. Кто ещё был в коридо́ре?
7. Почему́ писа́тель не разгова́ривал с други́ми пассажи́рами?
8. Как опи́сывается приближе́ние большо́го го́рода?
9. Что удиви́ло писа́теля?
10. Как объясни́л конду́ктор неожи́данную остано́вку?
11. Что де́лали полице́йские и сы́щик в ваго́не?

3

1. Что происходи́ло в купэ́ по́езда по́сле того́, как писа́тель вы́шел в коридо́р?
2. Почему́ писа́тель с интере́сом слу́шал, что̀ происхо́дит в купэ́?
3. Чего́ он ожида́л?
4. Чем он был разочаро́ван?
5. Как писа́тель ко́нчил свой расска́з?
6. Како́й вопро́с за́дал он кри́тику?

7. Как охарактеризова́л кри́тик мане́ру писа́теля?
8. Каки́м спо́собом, по мне́нию кри́тика, лю́бит писа́тель создава́ть впечатле́ние неожи́данности?
9. О чём сожале́ет писа́тель в конце́ разгово́ра?
10. Как объясня́ет кри́тик рыда́ния пассажи́ра?

Слова́рь к те́ксту

With the exception of common personal, possessive, demonstrative, and interrogative pronouns and easily recognizable place names, the glossary contains all the words in the texts. Their English meanings are usually contextual and do not always coincide with primary meanings. (In some cases special equivalents, as glossed in the text margins in quotation marks, are repeated in the vocabulary.) Verbs are listed in the imperfective aspect (unmarked), followed by the perfective aspect if it occurs in the book. A separate entry is given for a perfective verb if it occurs only in that aspect or if its alphabetical order varies from that of the imperfective. Participles are not as a rule given as separate entries. Unless the meaning of the two forms is different, adverbs are given as adjectives. The gender of nouns is given only for masculine nouns ending in **-ь** or in a vowel and for neuter nouns ending in **-мя**. Abbreviations used are:

acc	accusative	*impers*	impersonal
adv	adverb	*indet*	indeterminate
arch	archaic	*instr*	instrumental
col	colloquial	*loc*	locative
dat	dative	*m*	masculine
det	determinate	*n*	neuter
dim	diminutive	*pfv*	perfective
f	feminine	*pl*	plural
gen	genitive	*pl only*	plural form only
imp	imperative	*trans*	transitive

А а

а and, but
абрико́с apricot
абрико́совый apricot
а́втор author
ага́ aha
ад hell
адъю́нкт adjunct (assistant) professor
ай да + *name* *expression of approval*
аккура́тный neat

Алексе́ев Aleksey's
Алексе́й Aleksey (Alexis)
Алёнушка *dim for* **Еле́на** Helen
Алёша, Алёшка *dim for* **Алексе́й**
а́ли *col* or
амана́т Caucasian hostage
америка́нец American (*m*)
америка́нка American (*f*)
амети́ст amethyst
ана́фема *col* a curse on you
а́нгел angel

Áнна Anna (Anne)
антинау́чный antiscientific
антирелигио́зный antireligious
апати́чный apathetic
апо́стол apostle
арба́ cart
а́рка arch
арка́н lasso
архитекту́ра architecture
ау́л Caucasian village
ах ah
а́хнуть *pfv* to gasp

Б б

б (бы) *conditional and subjunctive particle*
ба oh
багрове́ть to grow crimson
багро́вый crimson
база́р bazaar
бал ball
ба́лка gully
балова́ть to fool around
бамбу́к bamboo
бараба́н drum; barrel (of a firearm)
бара́ний sheepskin
ба́рышня young lady
батаре́я gun emplacement
ба́тюшка *col* father
башма́к shoe
ба́шня tower
бе́гать *indet* to run
беготня́ running around
беда́ misfortune
бе́дненький *dim* poor, unfortunate
бе́дный poor, unfortunate
бежа́ть, побежа́ть *pfv det* to run
без +*gen* without
безде́льница idler
беззащи́тный defenseless
безобра́зный shapeless
безопа́сный harmless
безотве́тный meek
безуча́стный dispassionate
бе́ленький *dim* white
беле́ть to show white
бело́к white of the eye
белосне́жный snow-white
бе́лый white
бельё bed linen
бе́рег shore, bank
берёза birch
бере́чь to protect; to save
берло́га lair

беспе́чный carefree
беспоко́йный restive
беспо́чвенный groundless
беспреры́вный continuous
беспреста́нный incessant
бесчелове́чие inhumanity
бесчи́сленный innumerable
бесшаба́шный carefree
бе́шеный mad, raging
библиоте́ка library
Би́блия Bible
бить, поби́ть *pfv* to beat, hit
би́ться to flap; to batter
бла́го *col* seeing that
благоприя́тствовать to facilitate
благоро́дие: ва́ше благоро́дие your
honor
благоскло́нный benevolent
блаже́нный blissful
бланк blank form
бле́дный pale
блесте́ть, блесну́ть *pfv* to glitter, glisten,
flash
бле́яние bleating
блёклый faded
близ +*gen* near
бли́зкий near, close
близору́кий near-sighted
блиста́ть to shine
боб bean
бог god
Бог God
бога́тый rich
Богоро́дица Mother of God
Богоро́дицын Mother of God's
бо́дрый brisk
Бо́же! oh God! heavens!
Бо́же мой! my goodness!
Бо́жий God's
Бо́жья коро́вка ladybug
бок side
бо́ком sideways
болва́н blockhead
бо́лее, бо́ле *col* more
боле́ть to ache
боло́то swamp
болтли́вость talkativeness, chattiness
боль pain, ache
бо́льно it hurts; it's painful
больно́й sickly
бо́льше more
большо́й big
большу́щий really big
бо́мба bomb

бормота́ть to mutter
борода́тый bearded
босо́й barefoot
боя́рышник hawthorn
боя́ться to fear
брасле́т bracelet
брат brother
бра́тнин *col* brother's
брать to take
  брать праве́й to keep to the right
бра́ться to undertake
бреве́нчатый log
бред delirium
бре́дить to rave, be delirious
бри́чка trap, jig
бровь eyebrow
броди́ть to wander
бродя́га tramp
броно́носец battleship
броса́ть, бро́сить *pfv* to throw, hurl; to abandon
броса́ться, бро́ситься *pfv* to dash
бро́шка brooch
брыка́ться to kick
брюшко́ *dim* belly
бубене́ц jingle bell
бубе́нчик *dim* carriage bell
буго́р heap; hillock
бу́дто as if
бузина́ elder
бу́йный violent, wild
бука́шка bug
бу́ква letter
букмэ́кер bookmaker
бульва́р boulevard
бума́га paper, document
бума́жник wallet
бурдю́к wineskin
бу́рка felt cloak
бурну́с burnoose
бу́рный stormy
бу́сы beads
буты́лка bottle
буфе́т refreshment bar
бу́хта cove
бы *conditional and subjunctive particle*
быва́ло used to; would
быва́ть to happen; to be; to visit
бы́вший former
быстрота́ rapidity
бы́стрый rapid
бытие́ existence
быть to be

В в

в, во + *acc* to, in, per, during, into
  в, во + *loc* in, on
ваго́н car (of train)
ваго́нный car
ва́жный important
вал rampart; billow
ва́нна bath
васса́л vassal
ваш your
вбежа́ть *pfv* to run in
вверх up, upwards
вводи́ть to introduce; to lead in
вгля́дываться to look intently
вдали́ in the distance
вдви́нуть *pfv* to push into
вдвоём two together
вдого́нку after, in pursuit
вдоль + *gen* along
вдо́сталь enough
вдруг suddenly
вдыха́ние intake, breathing in
вдыха́ть to inhale
ведь you see; after all
ве́жливость politeness
ве́жливый polite
везде́ everywhere
везти́, повезти́ *pfv det* to take, transport, convey, drive
век century, age
веково́й ancient, age-old
веле́ть to order
велика́н giant
вели́кий great
великоле́пный magnificent
велича́вый majestic, stately
ве́нчик coronet
ве́ра faith, belief
Ве́рбная Суббо́та Eve of Palm Sunday
верёвка rope
ве́рить, пове́рить *pfv* to believe
ве́риться to be believed
ве́рно it is true
верну́ть *pfv trans* to return
верну́ться *pfv* to return
вероя́тно probably
верста́ verst (3,500 ft.)
ве́рхний upper, outer
верхо́м astride, astraddle, on horseback
верху́шка top
верши́на summit
весёлый gay, lively
весна́ spring

вести́, повести́ *pfv det* to lead, conduct; to carry on
  вести́ себя́ to behave, conduct oneself
весть news, tidings
весь, вся, всё whole, all
ветвь branch
ве́тер wind
ветеро́к breeze
ве́тка branch
ветла́ (white) willow
ве́треный windy
ветри́ло *poetic* sail
ве́тхий decrepit
ве́чер evening
вече́рний evening
вече́рня vespers
ве́чером in the evening
ве́чный eternal, perpetual
вещество́ substance
взви́згнуть *pfv* to screech
взви́ться *pfv* to leap up, fly up
взволнова́ть *pfv* to agitate, disturb
взгля́д glance, look
взгляну́ть *pfv* to glance, look
вздёрнуть *pfv* to hitch up
вздох sigh
вздохну́ть *pfv* to sigh
вздра́гивать, вздро́гнуть *pfv* to shudder, twitch, start
взду́мать *pfv* to get into one's head
взду́маться *pfv* to get into one's head, feel like
вздыха́ть, вздохну́ть *pfv* to sigh
взлета́ть, взлете́ть *pfv* to fly up
взмахну́ть *pfv* to wave
взмоли́ться *pfv* to plead
взмо́рье seashore
взмыть *pfv* to soar upwards
взобра́ться *pfv* to climb up
взойти́ *pfv* to rise
взор look, gaze
взро́слый grown-up, adult
взрыв explosion
взыска́ть *pfv* to be demanding
взять *pfv of* брать to take
вид view, appearance, condition, aspect, sight
вида́ть, увида́ть *pfv col* to see
ви́деть, уви́деть *pfv* to see
видне́ться to be visible
ви́дно apparently
ви́дный visible
визг creaking, squeal
визжа́ть to whine, scream

ви́лла villa
вильну́ть ми́мо *pfv* to dart past
вино́ wine
ви́нный wine
винова́т (I'm) sorry
винова́тый guilty
виногра́дник vineyard
висе́ть to be hanging
вихрь *m* whirlwind
вишь *col expression of surprise*
вкопа́ть *pfv* to dig in
вкус taste
владе́ние property
владе́тель *m arch* owner
владе́ть to be master of
влады́чество domination
вла́жный damp, moist
вла́ствовать to rule
вле́во to the left
влета́ть, влете́ть *pfv* to fly in
влия́ние influence
влюби́ться *pfv* to fall in love
влюблённый in love
вме́сте together
вме́сто +*gen* instead of
вме́шиваться to interfere
внеза́пный sudden
вниз downwards
внизу́ down below
внима́ние attention
внима́тельно attentively
вновь anew
внук grandson
вну́тренний internal, inner
вну́тренность interior
вну́чка granddaughter
во́все не not at all
вода́ water
води́ть *indet* to lead, conduct; to carry on
води́ться to associate with; to play with
водоём reservoir
водопа́д waterfall
во́ды *pl only* spa
вое́нный military
во́жжи reins
воз cart
возвраща́ть, верну́ть *pfv trans* to return
возвраща́ться, верну́ться *pfv* to return
возвраще́ние return
возвыша́ться to rise up, tower
возвы́шенность height
воздви́гнуть *pfv* to erect
во́здух air, atmosphere

возить *indet*   to drive, transport
во́зле +*gen*   alongside
возмо́жный   possible
возмуща́ть   to disturb, stir up
возни́кнуть *pfv*   to rise up, appear
возрази́ть *pfv*   to retort, object
во́инственный   bellicose
вой   howl
войти́ *pfv*   to enter
вокза́л   station
вокру́г +*gen*   around
вол   ox
волна́   wave
волнова́ть, взволнова́ть *pfv*   to agitate, disturb
волнова́ться   to be disturbed
воло́вий   ox's
во́лос   hair
волосо́к   a hair
волхвы́   wise men
волше́бный   magical
во́ля   freedom, will
вон   there, out
воню́чий   stinking
воображённа́ть   to imagine
воображе́ние   imagination
вообще́   in general
вооружи́ть *pfv*   to arm
вопро́с   question
воро́та *pl only*   gate
воротни́к   collar
во́рох   pile
во́семь   eight
во́семьдесят   eighty
восклиќнуть *pfv*   to exclaim
восково́й   wax, waxen
воскре́снуть *pfv*   to rise, be resurrected
воспита́ние   upbringing
воспомина́ние   recollection
воспринима́ть   to perceive
воспринима́ться, восприня́ться *pfv*   to be perceived
воспроти́виться *pfv*   to oppose, object
восто́к   east
восто́чный   eastern
восходи́ть, взойти́ *pfv*   to rise
вот   here, now
впереди́   in front, ahead
вперемёжку   alternately, mingled with
вперёд   forward, henceforth
впечатле́ние   impression
вплотну́ю   close
вполне́   fully, quite
впосле́дствии   afterwards; subsequently

впра́ве   within rights, entitled
впра́во   to the right
впро́чем   however
враг   enemy
врата́ *arch pl only*   gate
вре́мя   time
   во вре́мя +*gen*   during
вро́де   in the manner of
все   everyone, all
всегда́   always
вселе́нная   universe
всели́ться *pfv*   to be lodged
всё   everything, whole, all the time
   всё ещё   still
   всё же   all the same, still
   всё-таки   nevertheless, all the same
вска́чь   at a gallop
вски́нуть *pfv*   to toss back
вско́ре   soon
вскочи́ть *pfv*   to jump up
вскри́кнуть *pfv*   to shriek
вспомина́ть, вспо́мнить *pfv*   to recollect
вспомина́ться, вспо́мниться *pfv*   to recollect
вспорхну́ть *pfv*   to take wing
вспы́льчивый   quick-tempered
вспы́хивать, вспы́хнуть *pfv*   to flare up
встава́ть, встать *pfv*   to get up, rise
встре́ча   meeting, encounter
встреча́ть, встре́тить *pfv*   to meet, encounter
встреча́ться, встре́титься *pfv*   to meet
встря́ска   shaking up
встря́хивать   to shake
вступа́ть, вступи́ть *pfv*   to enter
всхли́пывание   sobbing, "blubbering"
всхли́пывать   to sob
вся́кий   any, all kinds of
второ́й   second
второпя́х   in haste
вход   entrance
входи́ть, войти́ *pfv*   to enter
вцепи́ться *pfv*   to seize hold
вчера́   yesterday
въе́хать *pfv*   to ride into, drive into
выбра́сывать, вы́бросить *pfv*   to throw out
вы́вод   conclusion
выводи́ть   to lead out
   выводи́ть из терпе́ния   to tax one's patience
вывора́чивать   to turn inside out
вы́глянуть *pfv*   to peek out
вы́гнать *pfv*   to drive out

выгова́ривать to reprimand
вы́гон pasture
выдава́ть to distribute
выделя́ться to stand out
вы́дернуть *pfv* to pull out
вы́дох expiration
вы́думка invention
вы́езд turnout; exit
вы́ехать *pfv* to ride out, come out
вы́ждать *pfv* to bide, wait out
вы́звать *pfv* to cause, call forth
выздора́вливать to get well, recover
вы́йти *pfv* to walk out
вы́ключить *pfv* to turn off
выкра́ивать to cut out
вы́куп ransom
вылеза́ть, вы́лезти *pfv* to climb out
вы́лететь *pfv* to fly out
вылива́ть to cast, mold
вы́ложить *pfv* to face, inlay
вы́мереть *pfv* to die out
вымета́ть to sweep out
вы́нести *pfv* to carry out
вынима́ть, вы́нуть *pfv* to take out
выпа́рхивать to take flight
вы́пить *pfv* to drink up
выпуска́ть, вы́пустить *pfv* to let out
вы́пятить *pfv* to thrust out
выраже́ние expression
вы́разить *pfv* to express
вы́расти *pfv* to grow up
вы́рвать *pfv* to tear out, pull out
вы́ровняться *pfv* to straighten up
вы́ругаться *pfv* to swear
вы́скочить *pfv* to jump out
вы́сморкаться *pfv* to blow one's nose
высо́кий tall, high
высокопа́рный grandiloquent
высота́ height, altitude
выставля́ть, вы́ставить *pfv* to display,
    put out; to remove
вы́стрел shot
вы́стрелить *pfv* to shoot
вы́строить *pfv* to build
вы́сунуться *pfv* to lean out
вы́сший higher
высыпа́ть, вы́сыпать *pfv* to spill out
выта́скивать, вы́тащить *pfv* to drag out
вы́теснить *pfv* to drive out
выть to howl
вытя́гивать, вы́тянуть *pfv* to stick out,
    stretch out
вы́ход exit

выходи́ть, вы́йти *pfv* to come out, exit,
    turn out
вы́честь *pfv* to subtract
вы́чистить *pfv* to clean
вы́ше higher
вышива́ть to embroider
вью́га snowstorm
вя́заный knitted

Г г

га́дина reptile
га́дко vilely
гадю́ка adder
галёрка gallery (in theatre)
галлюцина́ция hallucination
гармо́ния harmony
гарнизо́н garrison
га́снуть, пога́снуть *pfv* to go out (of fire,
    light)
где where
где́-нибудь somewhere
генера́л general
ге́ний genius
герб crest
геро́й hero
гимнази́стка pupil (*f*) of secondary school
гимна́зия secondary school
глава́ chief; chapter; *arch* head
гла́вное above all, principally
гла́вный main, chief
гла́дить, погла́дить *pfv* to stroke
гла́дкий smooth, sleek
глаз eye
глазо́к *dim* eye
гласи́ть to voice, say
глици́ния wisteria
глубина́ depth
глубо́кий deep
глу́пость stupidity, nonsense
глу́пый stupid
глупы́ш silly thing
глухо́й deaf, hollow, muffled; remote
глухота́ deafness
гляде́ть, погляде́ть *pfv* to look
гляде́ться to look at oneself
гм ahem, hm
гнедо́й bay
гнездо́ nest
гнести́ to oppress
гнету́щий oppressive
го́вор murmur, talking
говори́ть, сказа́ть *pfv* to speak, say, talk
говори́ться to be said
год year

годи́ться to be fit
голова́ head
голо́вка *dim* head
го́лос voice
голубе́ть to show blue
голубова́тый bluish
голубо́й light blue
го́лый bare, naked
гнать *det* to chase away
гоня́ться *indet* to chase, run after, race
гора́ mountain, hill
гора́здо much, far
горб hump, bulge
горба́тый hunchbacked
го́рдый proud
го́ре grief, trouble
горе́лый burnt, scorched
горе́ть to shine, glow, sparkle
горе́ть, сгоре́ть *pfv* to burn
горизо́нт horizon
гори́стый mountainous, hilly
го́рло throat
го́рничная chambermaid
го́рный mountain
го́род city, town
городи́шко *m* god-forsaken little town
городо́к *dim* town
городско́й town
горта́нный guttural
горшо́к pot
горя́чее hot food
горя́чий hot
горя́чность fervor
Го́споди! good Lord!
господи́н Mr.
госпо́дствовать to rule, reign
гость *m* guest
гото́вить to prepare
гото́вый ready, prepared
гра́вий gravel
град hail
граждани́н citizen
гра́мота reading and writing
грань border, verge
граф count
гра́ция graciousness, grace
гре́бень *m* crest
гре́бля causeway
греме́ть to thunder, roar
гре́ться to bask
грешно́ it's a sin
гриб mushroom
гро́зный terrible, dreadful
гро́мкий loud, famous

громово́й thunderous
гро́хот roar, rumbling
гру́бый coarse, rude, flagrant
гру́да pile, heap
грудь breast, bosom, chest
грузи́нский Georgian
гру́стный sad
грусть sadness
гру́ша pear
грызть to gnaw, nibble; to nag
гры́зться to fight, bicker, squabble
гря́зный dirty
гря́нуть *pfv* to burst forth
губа́ lip
гу́бка *dim* lip
гуде́ть to hum
гул rumble, hum
гуля́ть to stroll, idle
гумно́ threshing floor
густо́й thick, dense
гусь *m* goose

Д д

да yes; and, indeed
дава́ть, дать *pfv* to give
дава́ться, да́ться *pfv* to be provided, given; to come easy
давно́ long ago
да́же even
да́лее further, farther
далеко́ far away
далёкий distant, remote
даль distance
да́льний far, remote
дальтони́зм color blindness
дальто́ник color-blind person
да́льше farther, further
да́ма lady
да́ром for free
да́ча summer house
два *m,n*, две *f* two
два́дцать twenty
двена́дцать twelve
дверь door
дви́гать to move
дви́гаться to move, be moving
движе́ние motion, movement
дви́жущий moving
дво́е two, pair, couple
двойно́й double, dual
двор courtyard
  на дворе́ outside
  постоя́лый двор inn
дво́рик *dim* courtyard

дво́рник yard-keeper
дво́рницкая lodge, yard-keeper's quarters
двуколёсный (*arch for* двухколёсный) two-wheeled
де́вочка little girl
де́вушка girl, maid
девчо́нка *col* little girl, kid
девятна́дцать nineteen
де́вять nine
де́довский ancestral
де́йствие action, act
де́йствовать to act, function
дека́н dean
де́лать, сде́лать *pfv* to do, make
де́латься, сде́латься *pfv* to become
дели́ться to be divided
де́ло affair, work, business, matter
денно́й (*arch for* дневно́й) day, diurnal
день *m* day
де́ньги money
дере́вня village, countryside
де́рево tree
де́ревце *dim* sapling
дере́вянный wooden
держа́ть to hold, keep
де́рзкий bold
деся́ток ten
де́сять ten
дета́ль detail
детализи́роваться to become detailed
де́ти *pl* children
детекти́вный detective
де́тки *dim pl* children
де́точка little child
де́тская nursery
де́тский child's, children's
де́тство childhood
деть *pfv* to put, do with
деформа́ция deformation
деформи́роваться to be deformed, distorted
де́ятельный active
дёрнуть *pfv* to pull, tug
диви́ться to marvel, wonder
ди́кий wild, primitive
диссерта́ция dissertation
дли́нный long
для +*gen* for, for the sake of
дневно́й day
дно bottom
до +*gen* to, up to, until, before, to the point of
до́блестный valiant

добра́ться *pfv* to reach
доброде́тель virtue
до́брый kind, good
добуди́ться *pfv* to manage to wake up
довезти́ *pfv* to transport, bring, deliver
дово́льно quite, rather, enough
догада́ться *pfv* to guess; to understand
догоня́ть to catch up
дое́хать *pfv* to reach, go as far as
дождли́вый rainy
дождь *m* rain
дожида́ться to wait
дозво́лено it is permitted, allowed
дозо́р patrol
докуме́нт document
долби́ть to peck; *col* to repeat
долг debt, duty
до́лгий long, extended
до́лго for a long time
до́лжен, должно́, должна́, должны́ should, ought, must
до́лжно it is necessary
доли́на valley
до́ля destiny, fate
дом house, building, home
до́ма at home
до́мик *dim* house
доми́шко *m dim* (wretched) little house
домо́й homewards
допива́ть to drink up
допроси́ться *pfv* to wangle, obtain by asking
доро́га road, way, journey
дорого́й dear, expensive
доро́жка path
доро́жный road, traveling
доса́да vexation, annoyance
доса́довать to be vexed
доста́точный sufficient
доста́ть *pfv* to get, obtain
дости́гнуть *pfv* to reach
доходи́ть to reach, go as far as
дочь daughter
дразни́ть to tease
дразни́ться *col* to tease
дребезжа́ть to rattle
дре́вний ancient
дрема́ть to doze, slumber
дрему́чий dense
дрова́ firewood
дрожа́ть to tremble, shiver
друг friend
друг дру́га each other

другóй other, next
дрýжба friendship
дрýжный friendly
дры́хнуть *col* to sleep
дýдка reed pipe
дýдочка *dim* reed pipe
дýло muzzle
дýмать to think
дурáк fool
дурнóй bad
дуть to blow
дух spirit; breath
духáн Caucasian inn
душá soul
душúть to choke
дýшный stuffy
ды́бом on end
дым smoke
дымúться to smoke, steam
ды́мный smoky
дымóк *dim* smoke
ды́рка hole
дыхáние breathing
дышáть to breathe
дья́вол devil
дьявóльский devilish
дья́коница deacon's wife
дя́дя *m* uncle
дя́тел woodpecker

Е е

Евáнгелие Gospels
Еврóпа Europe
европéйский European
Егúпет Egypt
египтóлог Egyptologist
едвá hardly, barely
единоплемéнник fellow tribesman
едúнственный only, single, sole
éдкий acrid, pungent
ежеднéвный daily
éжели *col* if
ежесекýндный every second; constant
ездá ride, journey
éздить *indet* to ride, drive
ей-бóгу really!
елóвый fir tree
ель fir tree
ерундá nonsense
éсли if
естéственный natural
естествó nature, substance
есть there is, there are
есть, съесть *pfv* to eat

éхать, поéхать *pfv det* to ride, drive
ещё still, yet, again; more, another, further
ёлка Christmas tree

Ж ж

ж (же) *emphatic particle* and, but, on the other hand
жáдно greedily
жалéть to pity, be sorry, regret
жáлкий pitiful, wretched
    мне жáлко I am sorry for
жáлоба complaint
жáлованье salary, pay, wages
жáловаться to complain
жаль it's a pity
    мне жаль I regret, I'm sorry
жар heat, fever, ardor
жарá heat
жáрить, сжáрить *pfv* to fry, roast
жáркий hot
ждать to wait, expect
же *emphatic particle* and, but, on the other hand
желáние wish, desire
желáть to wish, desire, want
железнодорóжный railway
желéзный iron
желéзо iron
желтéть to show yellow
желтовáтый yellowish
жемчýжина pearl
женá wife
женáтый married
женúть *trans* to marry
женúтьба marriage
женúться to get married
женúх fiancé, bridegroom
жéнский female, feminine
жéнщина woman
жеребéц stallion
жест gesture
жестянóй tin
жечь to burn
жёлоб eave, gutter
жёлтый yellow
жёрнов millstone
жёсткий stiff, coarse
живóй alive, lively
живопúсный picturesque
живóт belly
живóтик *dim* tummy
жид *col* Jew
жизнь life

жи́ла vein
жиле́тка vest
жи́листый sinewy, wiry, strong
жи́лка *dim* vein
жироскопи́чески like a gyroscope
жите́йский life's
жить to live, dwell
жук beetle
жу́лить to cheat
жура́вль *m* crane
журча́ть murmur, babble
жу́ткий eerie

З з

за +*acc* for, at, during, by, before
  за +*inst* behind, beyond; after, for, at
заба́вный amusing, funny
забежа́ть *pfv* to run in, drop in
забере́менеть *pfv* to become pregnant
забира́ть, забра́ть *pfv* to bear, keep, take
забле́ять *pfv* to start to bleat
заблуди́ться *pfv* to get lost
забормота́ть *pfv* to start to mumble
забрани́ться *pfv* to burst out swearing
забра́ться *pfv* to get into
забро́шенный deserted
забыва́ть, забы́ть *pfv* to forget
заверну́ть *pfv* to wrap
заверте́ть *pfv* to begin to twirl
заверши́ть *pfv* to round off, complete
заверши́ться *pfv* to be completed
заве́сить *pfv* to curtain off, cover
заве́тный hidden, sacred, safeguarded
завеща́ть to bequeath
зави́деть *pfv col* to catch sight of
зави́довать to envy
зави́стливый envious; *col* "greedy for"
завито́к flourish, curlicue
заволнова́ться *pfv* to begin to be agitated
завопи́ть *pfv* to yell out
заворча́ть *pfv* to begin to grumble, growl
за́втра tomorrow
за́втракать to eat breakfast; to have lunch
за́втрашний tomorrow's
завя́знуть *pfv* to sink, get stuck
загля́дывать, загляну́ть *pfv* to peek in, glance at
заговори́ть *pfv* to begin to speak
заголи́ться *pfv* to become bare, be bared
загре́зить *pfv* to begin to daydream
зад posterior
задава́ть to give, assign
за́дний rear, back

задо́к back
задрема́ть *pfv* to doze off, fall asleep
задрожа́ть *pfv* to begin to tremble, shiver
заду́мать *pfv* to plan, conceive, intend
заду́мчивый pensive
задыха́ться to choke, suffocate; to pant
зае́хать *pfv* to drop by
зажа́ть *pfv* to stop up; to clutch
зазелене́ться *pfv* to begin to be green
заклокота́ть *pfv* to begin gurgling
заключе́ние conclusion
заключи́ть *pfv* to imprison
зако́н law
зако́нный lawful
закопти́ть *pfv* to blacken with smoke; to smoke
закрепи́ть *pfv* to fasten, secure
закрича́ть *pfv* to cry out
закры́ть *pfv* to shut
закры́ться *pfv* to be covered
закури́ть *pfv* to light up (a cigarette or pipe)
зал hall
зале́чь *pfv* to lie down to sleep
за́лпом at a gulp
зама́хиваться to threaten, brandish
замелька́ть *pfv* to flash, gleam
заме́на replacement
замени́ть *pfv* to substitute
замере́ть *pfv* to die down
заме́сто +*gen col* in place of
заме́тный noticeable
замеча́тельный remarkable
замеча́ть, заме́тить *pfv* to notice, catch sight of
замёрзнуть *pfv* to freeze, be frozen
замкну́ть *pfv* to close off
за́мок castle, fortress
замо́лкнуть *pfv* to stop talking, lapse into silence
замолча́ть *pfv* to fall silent
замота́ть *pfv trans* to begin to shake; to wave
за́муж: брать за́муж to take to wife
заму́сленный fingered; bedraggled
за́мшевый suede
за́мысел intention, conception, scheme
занима́тельный entertaining
заны́ть *pfv* to begin to whimper
запа́льчиво heatedly
запасно́й reserve
запе́ть *pfv* to begin to sing
запи́ска note
запища́ть *pfv* to begin to cheep

заплáкать *pfv* to begin to weep, burst into sobs

заплывáть to swim (into)

заплясáть *pfv* to begin to dance

запоминáть, запóмнить *pfv* to keep in mind

запрýгать *pfv* to begin to leap

запрячь *pfv* to harness, yoke

запыхáться *pfv* to be out of breath

заразúть *pfv* to infect, contaminate

зарастú *pfv* to be overgrown

зардéться *pfv* to redden

заржáвленный rusty

заржáвый *arch* rusty

зарнúца sheet lightning

зарывáть to bury

зарычáть *pfv* to begin to growl

заря́ dawn

зарядúть *pfv* to load

засáда ambush

засидéться *pfv* to sit up late, stay up

заскрыпéть (*arch for* **заскрипéть**) *pfv* to begin to creak

заслонúться *pfv* to shield oneself

засмея́ться *pfv* to burst into laughter

засмотрéться *pfv* to be lost in contemplation

заснýть *pfv* to fall asleep

засопéть *pfv* to begin to snuffle, breathe heavily

засоря́ться to be littered, cluttered

засóхнуть *pfv* to dry

зáспанный sleepy

заставля́ть, застáвить *pfv* to force

застегнýться *pfv* to button oneself up

застилáть to cover, hide from view

застонáть *pfv* to begin to moan

застрелúть *pfv* to shoot down

застря́ть *pfv* to stick, get stuck

заступáться to intercede, plead

застучáть *pfv* to begin to knock

засты́ть *pfv* to congeal, grow stiff and silent, grow cold, freeze

засýнуть *pfv* to shove in, push in

засучúть *pfv* to roll up, tuck up

засыпáние falling asleep

засыпáть, заснýть *pfv* to fall asleep

затарáщить *pfv* to goggle

затéйливость intricacy

затéм then

затмéние eclipse

затó but, instead of, on the other hand

затóпать *pfv* to begin to stamp

затормозúть *pfv* to brake

затруднúть *pfv* to hinder, "obstruct"

затрястúсь *pfv* to begin to shake

заты́лок nape, back of the head

затя́гиваться, затянýться *pfv* to inhale

затянýть *pfv col* to begin to sing

заýтреня midnight Easter service

заходúть to drop in, visit

захолодéть *pfv* to begin to get cold

захотéть *pfv* to wish, desire, want, like to

зацвéтший overgrown

зачéм why, for what reason

зашагáть *pfv* to walk off, begin to walk

зашептáть *pfv* to begin to whisper

заштóпать *pfv* to mend, darn

защищáть to defend, protect

защýриться *pfv col* to narrow (one's eyes); "to dwindle down"

зáячий hare's

звáние rank, title

звать, позвáть *pfv* to call

звáться to be called

звездá star

звенéть to ring, clink, twang

зверýшка *dim* animal

зверь *m* beast, animal

звёздочка *dim* star

звон peal, ringing, tinkling

звонúть to ring, clang

звóнкий ringing, clear

звонóк bell, ring

звук sound

звучáние sounding

звя́кнуть *pfv* to clang

здесь here

здéшний local

здорóвый healthy

здрáвствуйте hello, "fancy that!"

зевнýть *pfv* to yawn

зéлень foliage, greenery

зелёно-бáрхатный green-velvet

зелёный green

земля́ land, earth, ground, soil

земнóй terrestrial, earthly

зенúт zenith

зимá winter

зúмний winter

зия́ть to gape, yawn

злúться to be irritated, angry

злóба malice, spite, anger

злóбный wicked, malicious

злодéй villain, scoundrel

злодéйство villainy, crime

злой angry, evil, malicious

змей kite

змейка *dim* snake
знак sign, symbol
знакомство acquaintance
знакомый familiar, acquaintance
знаменитый famous
знатный distinguished
знать to know
знать aristocracy, elite
значит it means, that is
золотиться to look golden
золото gold
золотой golden
зонт umbrella
зрелище spectacle
зрение eyesight, vision, view
зуб tooth

И и

и and, also, too, even
  и . . . и both . . . and
  и прочее and so on, etc.
ива willow
игла needle
иголка needle
играть to play
игрушка toy
идеалист idealist
идти, пойти *pfv det* to walk, go
ижица *name of* v-*shaped letter in old Russian alphabet*
из +*gen* out of, from, made of
избрать *pfv* to select, choose
избыток excess, abundance
известный well-known
извиваться to coil, wriggle, meander
извинить *pfv* to excuse
изгибаться, изогнуться *pfv* to bend, curve
изголовье head of the bed
издали from afar
издохнуть *pfv col* "to croak," die
изжитый outmoded
из-за +*gen* from behind; because
изловить *pfv col* to catch
изловчиться *pfv col* to contrive, manage
измарать *pfv col* to soil
изменить *pfv* to change, alter
измениться *pfv* to be altered
изображение depiction
изогнуться *pfv* to bend, curve
изодрать *pfv* to rend, tear
из-под +*gen* from under
изредка seldom, now and then, occasionally
изрезать *pfv* to cut up

изрубить *pfv* to chop up, slaughter
изъеденный "eaten"
изыскание investigation, research
иконка *dim* icon
икра calf (of leg)
или (*col* иль) or, either
имелось there was
именно precisely, just
иметь to have, possess
имя *n* name
инерция inertia
иногда sometimes
иной other, some
интересный interesting
интересовать to interest
искать to search, look for
исключительный exclusive, sole
искомый sought-for
испещрить *pfv* to speckle, dot, mottle
исполнить *pfv* to fulfill, accomplish
испуг fright
испугать *pfv* to frighten, startle
испугаться *pfv* to be frightened, startled
иссечь *pfv* to cut into, chisel, carve
иссохнуть *pfv* to dry up
исступлённый frenzied
истекать to run out, ooze
история history, story
источник source, spring
истратить *pfv* to spend
исцарапаться *pfv* to scratch oneself
исчезнуть *pfv* to disappear
июньский June

К к

к, ко +*dat* to, toward, by, for
Кавказ the Caucasus
кавказский Caucasian
кадык Adam's apple
каждый each, every
кажется it seems
казак Cossack
казаться, показаться *pfv* to seem, appear
казачий Cossack's
казённый official
как how, as, like, when, since
как будто as if, as though
как бы as if, if only
каков what, how
какой what (kind of), which, such (as)
какой-нибудь some, any
какой-то some, some kind of, a certain
как-то how, somehow, once

кала́чиком: сверну́ться кала́чиком   to curl up
кали́тка   gate
ка́мбала   sole, flounder
камени́стый   stony
ка́менный   stone, rocky
каменоло́мня   quarry
ка́мень *m*   stone, rock
камы́ш   reed(s)
камы́шина   a (stalk of) reed
канонéрская ло́дка   gunboat
ка́пля   drop
капри́зничать   to be capricious, naughty
капри́зный   capricious, naughty
кара́бкаться   to clamber
карава́н   caravan
кара́сь *m*   crucian carp
кара́ть   to punish, chastize
ка́рта   map
карти́на   picture
карто́нный   cardboard
карту́з   cap
кастрю́ля   saucepan
катастро́фа   catastrophe, accident
ка́торжник   convict
кафта́н   coat, caftan
кача́ться   to rock, swing
ка́ша   porridge
кероси́новый   kerosene
киби́тка   kibitka (a hooded cart or sledge)
кива́ть, кивну́ть *pfv*   to nod
кида́ться, ки́нуться *pfv*   to throw, fling oneself
киломе́тр   kilometer
кинжа́л   dagger
ки́нуть *pfv*   to throw, cast, fling; to reply; "to let fall"
кипари́с   cypress
кипари́сный   cypress
кипу́чий   boiling, seething, ebullient
кирпи́ч   brick
ки́слый   sour, acid
кладь   load
кла́няться, поклони́ться *pfv*   to bow, greet, give regards
классифика́ция   classification
клётка   checkwork, cage, cell
клéточный   checkwork
клéтчатый   checked
кли́кать *col*   to call
клок   rag, shred, tuft
клочо́к *dim*   scrap, patch
ключ   clef, key; spring
ключи́ца   collarbone

кля́сться   to swear, vow
кни́га   book
князь *m*   prince
кобéль *m*   male dog
кова́рный   perfidious
ко́вшик *dim*   dipper, ladle
когда́   when; if
когда́-нибудь   sometime, ever
когда́-то   once, at one time, sometime
когото́к *dim*   claw
кòе-гдé   here and there; somewhere
кòе-како́й   some
кòе-что́   something; a little
ко́жа   skin, leather
ко́жаный   leather
коза́   nanny goat
козёл   billy goat
ко́зий   goat
ко́зла (*usually* ко́злы, *pl only*)   coach box
кой *arch*   which, who
ко́йка   berth, cot
колеба́ние   hesitation
колéно   knee
колесо́   wheel
колёсный   wheel(ed)
ко́ли   if
коло́дец   well
коло́дка   shackle, stocks
ко́локол   bell
колоко́льчик   small bell
коло́ть   to chop
коло́ться   to prick
кольцо́   ring
колю́чий   prickly, thorny
коля́ска   carriage
командо́р   commander
ко́мната   room
конво́й   convoy
конво́йный   convoy
конду́ктор   conductor
конéц   end
конéчно   certainly, of course
ко́нский   horse
конура́   kennel, doghouse, hovel
конча́ть, ко́нчить *pfv*   to finish, end
ко́нчик   tip, end
ко́нчиться *pfv*   to come to an end
конь *m*   horse, steed
копéйка   kopeck
копоши́ться   to swarm
копы́то   hoof
копы́тце *dim*   hoof
кора́   bark
кора́бль *m*   ship

Кора́н Koran
ко́рень *m* root
корзи́на basket
коридо́р corridor
коридо́рный corridor
корм fodder
корми́ть to feed
корневи́ще root
коробе́йник peddler
коро́ва cow
коро́на crown
коронова́ть to crown
коро́ткий short
ко́рпус block
коса́ braid
коси́ть, скоси́ть *pfv* to look sideways; to
   squint
коси́ться to look askance
косну́ться *pfv* to touch, concern
ко́со aslant
ко́сточка (fruit) stone, pit
костю́м suit, costume
кот tomcat
котело́к bowler
кото́рый which, who
ко́фе *m* coffee
ко́чка hummock, mound
краб crab
край edge, border, region, territory
кра́йний extreme
   по кра́йней ме́ре at least
кран faucet
краса́вица beautiful woman, "beauty"
краси́вость prettiness, cuteness
краси́вый beautiful, handsome
краснова́тый reddish
краснощёкий red-cheeked
кра́сный red
красота́ beauty
красо́тка *col* pretty girl, "beauty"
кра́сться to steal out, sneak
кра́ткий brief
кра́ткость brevity, conciseness
кра́шеный painted, colored
кре́пкий firm, strong
кре́пость fortress
кре́сло armchair
крест cross
кре́стик *dim* cross
крести́льный baptismal
крести́ть to cross, make the sign of the
   cross
крести́ться to cross oneself
крестья́нин peasant

кривля́ться to clown, grimace
крик cry, shout, yell, call
крикли́вый loud
криноли́н hoopskirt
кри́тик critic
крича́ть, кри́кнуть *pfv* to shout, cry out
крова́тка *dim* bed
крова́ть bed
кровожа́дный bloodthirsty
кровь blood
кро́ме besides, except
кро́на crown (of a tree)
кро́ткий meek, humble
кро́хотный tiny, wee, diminutive
кроши́ть to chop, crumble
кру́гленький *dim* round
круглоли́кий (*usually* круглоли́цый)
   round-faced
кру́глый round
круго́м around, roundabout
кружи́ть to turn, circle, whirl
кружи́ться to whirl, spin
кру́жка mug
кру́пный large, big, prominent
круто́й steep, sudden, abrupt
крыла́тый winged
крыло́ wing
крыльцо́ porch
кры́мский Crimean
кры́тый covered
кры́ша roof
кры́шка cover, top, lid
кряхте́ние groaning
ксёндз Catholic priest
кто who, anyone
кто́-нибудь anyone
кто́-то someone
кувши́н pitcher
куда́ where, whither; *col* much
куда́-то somewhere
куда́хтание clucking
кузне́ц blacksmith
ку́кла doll
кула́к fist
кулёк bag
ку́па clump
купе́ц merchant
купе́ческий merchant
купи́ть *pfv* to buy
купцо́в merchant's
купчи́ха merchant's wife
купэ́ compartment
курга́н burial mound
кури́ть to smoke

курИться to smoke
кУрица hen
курлЫкать to whoop
курОк trigger
кУртка jacket
курчАвиться to curl
кусАть to bite
кусАться to bite
кусОк piece
куст bush
кустАрник shrubbery, bushes
кухАрка cook
кУхня kitchen
кУчка *dim* pile
кУшанье food, dish
кУшать to eat

Л л

лАвочка *dim* bench
ладОнь palm
лакЕй lackey
лАмпа lamp
лампАдка *dim* icon lamp
лань doe
лАпа paw
лАпка *dim* paw
лАрчик casket, small chest
ласкАть to caress
лАсковый gentle
лАсточка swallow
лафЕт gun carriage
лачУжка *dim* hut
лгать to lie
лебедА goosefoot (plant)
лЕвый left
лежАть to be lying
ленИвый lazy, idle
лЕность laziness
лЕнта ribbon
лЕнточка *dim* ribbon
лепестОк petal
лЕпет babble
лепетАть, пролепетАть *pfv* to babble, mutter
лес forest, wood
лЕсенка *dim* ladder, stairs
лесИстый wooded
лЕстница stairs, ladder
летАние flying
летАть *indet* to fly
летЕть, полетЕть *pfv det* to fly
лЕтний summer
лЕто summer; year
летУчий flying

лечь *pfv of* ложИться to lie down
лёгкий easy, light
лёгкость lightness, ease
лёгонький *dim* light
лёд ice
Лёлин Lyola's
Лёля *dim for* ЕлЕна Helen
ли whether, if
лИбо or
лИвень *m* downpour
ливрЕйный livery
лизнУть *pfv* to lick
лИлия lily
лИния line
лИпа linden
лИпка *dim* linden
лист leaf
листвА foliage
литр liter
лИться to stream, flow, pour
лихорАдка fever
лицО face
лишАй lichen
лишь only
лоб forehead
ловИть, поймАть *pfv* to catch
ловИться to be caught
лОвкий agile, adroit
лОдка boat
ложИться, лечь *pfv* to lie down
лОкоть *m* elbow
ломАть to break
ломовОй drayman
лопАта spade, shovel
лопотАть to mutter, babble
лопоУхий lop-eared
лохмОтья *pl* rags
лошадИный horse
лошАдка *dim* horse
лОшадь horse
луг meadow
лужОк *dim* meadow
лунА moon
лУнный moonlit, moon
луч ray
лучезАрный radiant
лУчший better
ль (ли) whether, if
любИть to love, like
любовАться to admire
любОвник lover
любОвный amorous, loving
любОвь love
любопЫтство curiosity

люд *col* folk, people
лю́ди people
люто́й *col* fierce, fiendish
лягну́ть *pfv* to kick

М м

маги́стр master
магомета́нский Mohammedan
мадо́нна Madonna
мак poppy
ма́ленький small, little
мали́новый raspberry-colored, crimson
ма́ло little, few, not enough
ма́ло-пома́лу little by little, gradually
ма́лость a bit, a trifle, somewhat
ма́лый fellow, lad
ма́льчик boy
мальчи́шка *dim* boy, urchin
ма́ма mama
мане́ра manner
ма́нтия mantle, cloak
ма́рка stamp
маркси́ст Marxist
марока́нец Moroccan
марока́нский Moroccan
ма́сленица Shrovetide
ма́сло oil, butter
материализа́ция materialization
материализи́ровать *trans* to materialize
материали́ст materialist
мате́рия matter, material
матра́ц mattress
мать mother
махну́ть *pfv* to wave
  махну́ть руко́й to give up as lost
махры́ *col* shreds
машини́ст machinist
мая́к lighthouse, beacon
мгла́ mist, haze, gloom
мгнове́ние moment, instant
мгнове́нный instant
медальо́н medallion, locket
медве́дь *m* bear
медве́дюшка *m dim* bear
медвежо́нок bear cub
медве́жья я́года bearberry
ме́дленность slowness
ме́дленный slow
ме́дно-кра́сный coppery-red
меду́за jellyfish
меж, ме́жду *+inst*, *+gen* between, among
ме́лкий shallow, fine, petty, small

мело́дия melody
мелька́ть, мелькну́ть *pfv* to flash, gleam; to flit, dart
ме́льница mill
ме́ньший smaller
меньшо́й *col* younger
меня́ть to change, alter
ме́ра measure
ме́рный regular
мертве́ц corpse
мерца́ть to twinkle, shimmer, flicker
меси́ть to knead
ме́стность locality, surroundings, country
ме́сто place, spot
ме́сяц moon, month
мете́ль snowstorm
метну́ться *pfv* to jerk oneself
мех wineskin
мечта́ dream, daydream
мечта́ть to daydream
меша́ть, помеша́ть *pfv* to meddle, interfere, hinder
мешо́к sack, bag
мешо́чек *dim* bag
мёртвый dead
ми́ленький *dim* dear, kind
миллио́н million
миллионе́р millionaire
ми́лый kind, dear, nice, sweet
мимикри́я mimicry
ми́мо *+gen* past, by
минаре́т minaret
минда́лина almond
мину́та minute
мину́тка *dim* minute
мину́ть *pfv* to pass by
мир world
мира́ж mirage
мирно́й *arch* pacified
ми́рный peaceful
мисс Miss
миссионе́р missionary
ми́стер mister, Mr.
младе́нец infant, baby
младо́й *arch* young
мно́гие many
мно́го much, many, a great deal
многоголо́сый polyphonic
мно́гое much, a great deal
многоцве́тность multicolor
моги́ла grave
мо́да fashion
мо́жет быть, *col* мо́жет perhaps, maybe

мо́жно possible, it is permissible, one may
мо́крый damp, moist, wet
молва́ rumor, talk
мо́лвить to say
моле́бен prayer service
моли́тва prayer
моли́ться to pray
молодо́й young
мо́лодость youth
молоко́ milk
моло́чный milk, milky
молча́ние silence
молча́ть to keep silent
моль moth
монасты́рь *m* monastery
мона́х monk
монгольфье́р fire balloon
моне́та coin
мопс pug
мо́рда muzzle, snout; *col* kisser
мо́рдочка *dim* muzzle, snout, face
мо́ре sea
мо́роженщик ice-cream vendor
моро́з frost
морщи́на wrinkle
мо́рщиться, помо́рщиться *pfv* to scowl,
    wince, make a wry face
моря́к seaman
мост bridge
мо́стик *dim* bridge
мота́ть, мотну́ть *pfv* to shake
мота́ться to flap
мотылёк butterfly
мох moss
мохна́тый shaggy, hairy
мочь, смочь *pfv* to be able
мо́шка gnat
мрак darkness
мра́чный gloomy
му́дрый wise
муж husband
мужи́к peasant
мужикова́тый peasant-like
мужско́й male, masculine
мужчи́на *m* man
мул mule
мулла́ mullah, a Mohammedan teacher
мураве́й ant
муска́тный: муска́тная ро́за musk rose
    (*Rosa moschata, a rose of the Medi-
    terranean region with fragrant flowers*)
му́тный turbid
му́ха fly
мухомо́р death-cup mushroom (*Amanita*)

мча́ться to rush, tear along
мще́ние vengeance
мыс cape
мы́слить to think, reflect, conceive
мысль thought, idea
мя́гкий soft, gentle
мя́та mint
мяте́жный rebellious, passionate

Н н

на +*acc* on to, on, to, into, at, against
  на +*loc* on, in, at, by
набе́г raid
наблюде́ние observation
набра́ть *pfv* to gather, collect, take
набра́ться *pfv col* to experience
набря́кнуть *pfv col* to swell
нава́ливать, навали́ть *pfv* to pile up
нава́ливаться to be piled on
наве́рно, наве́рное probably, for sure
наве́рх upwards, up
наверху́ upstairs, up above
наве́с overhang, shed
на́взничь on one's back
нави́снуть *pfv* to hang over
навстре́чу *adv* to meet, towards
нага́йский Nagai (Caucasian tribe)
нагиба́ться, нагну́ться *pfv* to stoop
нагна́ть *pfv* to catch up
нагоре́ть *pfv* to smoke (of a lamp)
нагрузи́ть *pfv* to load, burden
над (на́до) +*inst* over, above, at
надви́нуться *pfv* to approach, be near
надгро́бный grave
надева́ть, наде́ть *pfv* to put on, don
наде́жда hope
наде́яться to hope, rely on
на́до it is necessary, one must
на́добность necessity, need
надое́сть *pfv* to bore, bother
на́дпись inscription
нае́здник horseman
наёмник hireling
наза́д back, backwards, ago
назва́ние name, title
называ́ть, назва́ть *pfv* to call, name
называ́ться to be called, named
найти́сь *pfv* to be found, to be
накану́не on the eve
накло́н slope, incline
наклони́ться *pfv* to lean over, stoop
наконе́ц finally, at length, at last
накре́ниваться to tilt

накрыва́ть, накры́ть *pfv* to cover, set
накры́ться *pfv* to be covered
нале́во to the left
налива́ть, нали́ть *pfv* to pour
наме́дни *col* the other day, lately
намекну́ть *pfv* to hint
наме́стнический vice-regal
намочи́ть *pfv* to wet, moisten, soak
нанима́ть to hire
напада́ть, напа́сть *pfv* to attack
напереко́р + *dat* in defiance of, counter to
напо́лниться *pfv* to be filled
наполня́ть to fill
напомина́ть, напо́мнить *pfv* to remind; to resemble
направле́ние direction, trend
направля́ть to direct; to level
напра́во to the right
напра́сно in vain
наприме́р for example
напро́тив across, opposite, on the contrary
напря́чься *pfv* to strain oneself, exert oneself
напуга́ть *pfv* to frighten
напуга́ться *pfv* to be frightened
напу́дрить *pfv* to powder
нара́доваться *pfv* to dote, be proud
наро́д people, nation, folk
нару́жность looks, appearance, exterior
нару́жу outside
на́ры plank bed
наря́дный smart, well-dressed
наряжа́ться to dress up, adorn oneself
насеко́мое insect
насе́сть *pfv* to press, move in
наси́лу with difficulty
на́скоро hastily, carelessly
наслажде́ние pleasure, delight
насле́дственный inherited, hereditary
насме́шливость derisiveness
наста́ть *pfv* to begin, become
насто́йчивый insistent, persistent
насторо́женно on guard, watchfully
настоя́щий real, actual, present
наступа́ть, наступи́ть *pfv* to come, set in
насу́питься *pfv* to frown, scowl
натурали́ст naturalist
натяну́ть *pfv* to stretch, draw
нау́ка science, knowledge
научи́ть *pfv* to teach
научи́ться *pfv* to learn
находи́ть to find

находи́ться, найти́сь *pfv* to be located
нацара́пать *pfv* to scratch on
нача́йный *col* tip
нача́ло beginning, start, base, origin
нача́ться *pfv* to begin, start, set in
начина́ть, нача́ть *pfv* to begin
не́бо sky, heaven
небольшо́й small, slight
небоскло́н sky
небо́сь *col* it is most likely, one would expect
неве́домый unknown
неве́жа boor
неве́рный incorrect; fickle
неве́ста fiancée, bride
неви́димый invisible
неви́дный unseen, invisible
невня́тный indistinct
нево́льный involuntary
нево́ля captivity
невысо́кий low, not high, short
не́га sweet bliss, comfort, delight
не́где nowhere
негрити́нский Negro
негро́мкий soft, low
неда́вно recently
недалеко́ not far away
неда́ром not for nothing
недви́жимый immovable, motionless
неде́ля week
недо́брый bad, unkind, evil
недово́льный dissatisfied, displeased
недо́лго for a short time
недоста́ток lack, shortage, insufficiency
не́дра womb, midst, center
недружелю́бный unfriendly
неесте́ственный unnatural, affected
не́жели *arch* than
не́жность tenderness
не́жный tender, delicate
незабу́дка forget-me-not
незаме́тный imperceptible
не́зачем there is no point
незна́ние ignorance
неизве́стный unknown, stranger
неизъясни́мый ineffable, inexplicable
неинтере́сный uninteresting
не́кий some, a certain
не́когда once, formerly
не́который certain, some
нело́вкий awkward
нельзя́ it is impossible, one must not
нема́ло not a few
немно́го a little, not much

немо́й mute, silent
ненави́деть to hate
ненадёжный undependable, untrustworthy
необи́льный sparse
необыкнове́нный unusual, uncommon
необыча́йность the unusual
необыча́йный extraordinary, exceptional
неогоро́женный not fenced off
неожи́данность unexpectedness, surprise
неожи́данный unexpected
неосторо́жный careless, imprudent
неохо́та reluctance
   ему́ неохо́та he is reluctant
непереводи́мый untranslatable
непередава́емый inexpressible, ineffable
неподви́жный immovable, motionless
непо́лный incomplete
непривы́чка want of habit
неприя́тный unpleasant
непродолжи́тельный of short duration
непро́сто not simply
нереши́тельный indecisive
неро́вный irregular, uneven
неря́шливый slovenly
несвя́зный incoherent
несказа́нный ineffable
не́сколько several, some, a few; somewhat
несно́сный unbearable
нести́, понести́ pfv det to carry, bear
несча́стье misfortune, accident
несъедо́бный inedible
нет no, there is no
нетерпе́ние impatience
не́ту col there is no
неуже́ли really, indeed
неузнава́емость unrecognizability
неуме́стный out-of-place, inappropriate
неча́янно inadvertently, accidentally
не́чего there is nothing
нечистота́ uncleanliness
не́что something
ни not a single, no
   ни . . . ни neither . . . nor
ни́жний lower
ни́зенький dim low
ни́зкий low
низкоро́слый undersized
ни́зменность lowland
ника́к in no way
никако́й none, whatever, not at all
никогда́ never
никто́ no one
Нил Nile River

ничего́ it's nothing, never mind; not bad
ничто́ nothing
ничто́жный insignificant, worthless
ничу́ть not a bit
ни́щий indigent, beggar
нововведе́ние innovation
новосе́лье settling down in a new place, housewarming
но́вый new
нога́ foot, leg
но́готь m nail
но́рка dim burrow
нос nose
носи́ть indet to carry, bear
носово́й nose
носогре́йка short pipe
носо́к sock
ночева́ть to spend the night
ночле́г lodging for the night, overnight stop
ночно́й night, nocturnal
ночь night
нра́виться, понра́виться pfv impers to please
   мне нра́вится I like
нра́вственный moral
ну well, and, then
нужда́ necessity, need
ну́жный necessary, essential
нутряно́й deep inside, inner
ны́не, ны́нче col today, now, nowadays
ныть to ache
ню́хать, нюхну́ть pfv to smell
ня́нька col nurse
ня́ня nurse

О о

о, об, обо +loc about, of, concerning
   о, об, обо +acc against, on
о́ба m, n, о́бе f both
обагрённый stained crimson
обдава́ть to envelop
обде́лать pfv to set, inlay
обе́д dinner
обе́дать to have dinner, dine
обе́дня Mass
обезору́жить pfv to disarm
оберну́ться pfv to turn around
обеща́ть to promise
обже́чь pfv to burn, scorch
оби́деться pfv to take offense, feel hurt
оби́дный offensive
   мне оби́дно I am hurt
обижа́ть, оби́деть pfv to offend, hurt

обита́ть   to dwell, inhabit
обла́ва   round-up
облада́тель *m*   possessor, owner
о́блако   cloud
облепи́ть *pfv*   to surround; to cling; to paste
о́блик   look, aspect, appearance, manner
обмы́лок   sliver of soap
обнару́жить *pfv*   to discover, detect
обнима́ть, обня́ть *pfv*   to embrace
обо́з   caravan, transport, train
обознача́ться, обозна́читься *pfv*   to show, appear
обо́и *pl only*   wallpaper
оболо́чка: ра́дужная оболо́чка   iris (of the eye)
обо́рванный   ragged, in rags
оборва́ть *pfv*   to tear off, break
обра́доваться *pfv*   to be glad, rejoice
о́браз   image, manner
образо́вывать, образова́ть *pfv*   to form
обрасти́ *pfv*   to be overgrown
обра́тно   back
обраща́ть, обрати́ть *pfv trans*   to turn
   обраща́ть внима́ние   to pay attention
обраща́ться, обрати́ться *pfv*   to address
обру́шить *pfv*   to bring down
обру́шиться *pfv*   to collapse
обря́д   rite, ceremony
обсади́ть *pfv*   to plant around
обточи́ть *pfv*   to grind, wear
обу́ть *pfv*   to provide with shoes; to shoe
обходи́ть   to go around
обходи́ться   to treat
обхожде́ние   manners, treatment
о́бщество   society, company
о́бщий   general, common, mutual
объяви́ть *pfv*   to announce
объявле́ние   announcement, advertisement
объясня́ть, объясни́ть *pfv*   to explain
объя́тие   embrace
обыкнове́нный   usual, ordinary
обы́чай   habit, custom
обы́чный   usual, ordinary
ова́ция   ovation
овладе́ть *pfv*   to seize, take possession
о́вощи   vegetables
овра́г   canyon, ravine
овца́   sheep
оглуши́тельный   deafening
огля́дываться, огляну́ться *pfv*   to glance back
огляну́ть *pfv*   to examine

о́гненный   fiery
ого́   oho!
оголённый   bare
огонёк *dim*   fire, light
огонёчек *dim*   fire, light
ого́нь *m*   fire, light
огоро́д   vegetable garden
огради́ть *pfv*   to guard, protect
огро́мный   huge, enormous, immense
одева́ться, оде́ться *pfv*   to dress oneself
оде́жда   clothing, garments
оде́ть *pfv*   to dress, cover
одея́ло   blanket
одея́ние   garment, attire
оди́н, одна́, одно́, одни́   one, single, alone
оди́ннадцать   eleven
одино́кий   solitary
одича́ть *pfv*   to run wild, grow wild
одна́ко   however
одноа́ктный   one-act
одноле́тка   of the same age
однообра́зный   monotonous
одр *arch*   bed, couch
ожере́лье   necklace
оживлённый   lively, animated
ожида́ть   to wait, expect, anticipate
озаря́ть   to illumine
о́зеро   lake
озя́бнуть *pfv*   to get chilled, be frozen
оказа́ться *pfv*   to turn out, prove to be
ока́зия *arch*   protective military detail
окли́кнуть *pfv*   to call, hail
окно́   window
окова́ть *pfv*   to bind, fetter
о́коло   about, approximately, near, by, alongside
око́нный   window
окре́стность   surroundings
округли́ться *pfv*   to become round
окружа́ть, окружи́ть *pfv*   to surround, encircle
оку́рок   cigarette butt
оле́ний   deer's
оли́вковый   olive
омерзе́ние   loathing
опа́ска   caution
опа́сливый   cautious
опа́сный   dangerous
опочи́ть *pfv, arch*   to go to sleep
опра́вдываться   to justify oneself
определи́ть *pfv*   to define, determine
опроки́нуть *pfv*   to overturn
о́прометью   headlong
опуска́ть, опусти́ть *pfv*   to lower, let down

опуска́ться   to sink, fall
опусте́лый   deserted
опусте́ть *pfv*   to become deserted
опу́хнуть *pfv*   to swell
опу́шка   edge of a forest
о́пыт   experience, experiment
о́пытный   experienced
опьяни́ть *pfv*   to intoxicate
опя́ть   again
ора́ть   to yell
оре́шник   hazelnut
оса́   wasp
осади́ть *pfv*   to rebuff
освежи́ть *pfv*   to freshen up
освети́ться *pfv*   to be illuminated
освеща́ть, освети́ть *pfv* to light up, illuminate
осе́нний   autumn
о́сень   autumn
осироте́ть *pfv*   to be orphaned
оска́лить *pfv*   to bare (teeth)
оско́лок   fragment, splinter
ослепи́тельный   blinding
о́слик *dim*   donkey
осмотре́ть *pfv*   to examine
основа́ние   foundation, basis
осо́бенный   special, peculiar
о́спа   smallpox
остава́ться, оста́ться *pfv*   to remain, stay
оставля́ть, оста́вить *pfv*   to leave
остально́й   remainder, the rest
остана́вливаться, останови́ться *pfv* to stop
остано́в: без остано́ва *col* without stopping
остано́вка   stopping
остерега́ться   to be careful, beware
о́стов   skeleton
осторо́жный   careful, cautious
о́стрый   sharp
осыпа́ть   to shower, strew
от, ото +*gen*   from, owing to, of
отби́ться *pfv*   to defend oneself, beat off
отва́га   courage, valor
отвезти́ *pfv*   to take away, drive to
отверну́ться *pfv*   to turn away
отве́рстие   opening, aperture
отве́т   answer
отвеча́ть, отве́тить *pfv*   to answer, reply
отвле́чь *pfv*   to distract, divert, turn off
отвори́ть *pfv*   to open
отврати́тельный   repulsive
отвы́кнуть *pfv*   to become unused to
отвяза́ть *pfv*   to untie, unfasten
отдава́ть, отда́ть *pfv*   to return, give back

отдава́ться   to resound, ring
отдале́ние   distance
отдалённый   distant
отде́латься *pfv*   to rid oneself of
отделе́ние   compartment, section, department, branch
отдёрнуть *pfv*   to jerk back, withdraw
отдира́ть   to scrape off
оте́льный   hotel
оте́ц   father
о́тзвук   echo
отказа́ться *pfv*   to refuse, decline
отки́нуть *pfv*   to throw back
открыва́ться, откры́ться *pfv*   to be open, open itself
откры́ть *pfv*   to open, bare
отку́да   whence, from where
отлича́ться   to differ, stand out, distinguish oneself
отло́гий   sloping
отложи́ть *pfv*   to put aside, postpone
отма́хиваться   to wave away, brush aside
отнести́ *pfv*   to take to, carry
отноше́ние   relation, attitude
отойти́ *pfv*   to walk away
отправля́ться, отпра́виться *pfv*   to set out, go off
отпры́гивать   to jump away, leap aside
отпусти́ть *pfv*   to let go
отра́да   delight, joy
отража́ться   to be reflected
отраже́ние   reflection
отреза́ть, отре́зать *pfv*   to cut off
отрица́тельный   negative
отры́вистый   abrupt, jerky
отря́д   detachment
отскочи́ть *pfv*   to jump aside, recoil
отстава́ть, отста́ть *pfv*   to lag behind, be slow
отступа́ть   to recede
оттого́   and so, for that reason
оттолкну́ть *pfv*   to push away
оттолкну́ться *pfv*   to push off
оттопы́рки-гу́бки   protruding lips
отту́да   thence, from there
отходи́ть, отойти́ *pfv*   to walk away
отцо́вский   father's, paternal
отча́янный   desperate, frantic
отчего́   why, for which reason
отчётливый   distinct, clear
отшатну́ться *pfv*   to start back, recoil
отъе́зд   departure
отыска́ть *pfv*   to find
офице́р   officer

офо́рмить *pfv* to put into shape
о́ханье moaning
оха́пка armful
охвати́ть *pfv* to seize
охо́та hunt
охо́тник hunter
охо́тно willingly
охраня́ть to guard, protect
оча́г hearth
очарова́тельный charming, enchanting
о́чень very, very much
о́черк sketch, contour
очерта́ние outline
очки́ *pl only* eyeglasses
очну́ться *pfv* to regain consciousness
оше́йник collar
ошеломи́ть *pfv* to amaze, stun
ошиба́ться to be mistaken, make mistakes, err
оши́бочный mistaken
ощуща́ть to sense, feel
ощуще́ние sensation, feeling

П п

павильо́н pavilion
па́дать, упа́сть *pfv* to fall
паде́ние fall
па́зуха bosom (of garment)
паке́т package, parcel
пала́та chamber, hall
па́лец finger, toe
пальто́ coat
па́мятник monument
па́мять memory
па́па papa
папа́ха sheepskin cap
па́пин papa's
папиро́са cigarette
паралле́льный parallel
парк park
паро́дия parody
па́рус sail
парчёвый brocade
па́смурный overcast, cloudy
па́спорт passport
пассажи́р passenger
па́стбище pasture
пасту́х shepherd
пасту́шка shepherdess
пастушо́к *dim* shepherd
пасть maw
Па́сха Easter
пасха́льный Easter
па́уза pause

паути́на cobweb
паха́ть to plow, till
па́хнуть to smell
пахну́ть *pfv* to puff
па́чка pack, packet
пая́ц clown
пе́на foam
пенёк *dim* stump
пе́нка skin (on milk)
пень *m* stump
пе́пел ashes
первобы́тный primitive, original
пе́рвый first
перебро́сить *pfv* to throw across
перева́л pass
переверну́ться *pfv* to turn oneself over
перевести́ дух *pfv* to draw a breath
перево́дчик interpreter
перегиба́ться to bend oneself over, to lean over
перегну́ть *pfv* to bend
пе́ред, пе́редо + *inst* before, in front of
переда́ть *pfv* to transmit, relate
передёрнуть *pfv* to convulse, distort, twist
пере́дний front, fore-
переезжа́ть, перее́хать *pfv* to move, cross
пережива́ть, пережи́ть *pfv* to experience, endure, live through
перекати́-по́ле tumbleweed
переклика́ться to call one another
перелета́ть to fly over, fly from place to place
переме́на change, transformation
перемени́ть *pfv trans* to change
переме́нный intermittent, changing
перемеща́ться to shift, change position
перемина́ться с ноги́ на́ ногу *col* to shift from one foot to the other
переплёт framework
переползти́ *pfv* to crawl over
перепры́гнуть *pfv* to leap across
перепуга́ться *pfv* to get a fright
переспроси́ть *pfv* to ask again, ask to repeat
перестава́ть, переста́ть *pfv* to stop, cease
перехо́д crossing, march
переходи́ть, перейти́ *pfv* to pass
пе́рец pepper
перече́сть *pfv* to reread
пери́на featherbed
перламу́тр mother-of-pearl
перси́дский Persian
персона́ж character, personage

перча́тка glove
пе́сенка *dim* song
пе́сня song
песо́к sand
пестре́ться to appear varicolored
петь, спеть *pfv* to sing
пехо́та infantry
пехо́тный infantry
печа́ль grief, sorrow, sadness
печа́льный sad
печь stove
пешко́м on foot
пеще́ра cave
пёс dog
пёстрый varicolored
пир feast
пирова́ние feasting
писа́тель *m* writer
писа́ть to write
пить to drink
питьё drinking, drink
пи́ща food
пища́ть to squeak, peep
плагиа́т plagiarism
пла́кать to weep, cry
пла́мя *n* flame
плато́к kerchief
платфо́рма platform
пла́тье dress
пла́тьице *dim* dress
плач lament
плащ cloak, robe
плащани́ца shroud of Christ
пле́мя *n* tribe
племя́нник nephew
племя́нница niece
плен captivity
пле́нник prisoner, captive
пле́нный captive
плеск splashing
плести́сь to drag oneself along
плете́нь *m* wattle fence
плеть whip
плечо́ shoulder
плёнка membrane
плита́ slab
пло́ский flat
пло́скость flat surface
плоти́на dam
пло́тный firm
плохо́й bad, poor
площа́дка landing
пло́щадь square
плыть, поплы́ть *pfv* to swim; to sail

плющ ivy
по +*dat* by, according to, owing to; each,
    at the rate of; in, at, against, on;
    through; up; down; along; about,
    over, behind
  по +*acc* up to, till; +*loc* after, at
победоно́сный victorious
побежа́ть *pfv* to run
поби́ть *pfv* to hit, beat
поблагодари́ть *pfv* to thank
побледне́ть *pfv* to grow pale
побрести́ *pfv* to make one's way, wander
побы́ть *pfv* to stay for awhile
по́вар chef
повезти́ *pfv* to take, transport, convey
  мне повезло́ I was lucky
пове́рить *pfv* to believe
поверну́ть *pfv* to turn
поверну́ться *pfv* to turn
повести́ *pfv* to lead, conduct, carry on
по́весть story
пове́трие "craze"
пови́димому evidently, apparently
пови́снуть *pfv* to hang
по́вод ground, cause
  по э́тому по́воду apropos of this
по́вод rein
поворча́ть *pfv* to grumble
повстреча́ть *pfv col* to meet
повторя́ть, повтори́ть *pfv* to repeat
погаса́ть, пога́снуть *pfv* to die down, to
  gutter; to go out
погла́дить *pfv* to stroke
погляде́ть *pfv* to look at, glance
поговори́ть *pfv* to converse
пого́да weather
погоди́ть *pfv col* to wait
  немно́го погодя́ a little later
погрози́ть *pfv* to threaten
погруже́ние sinking, plunging
погрузи́ть *pfv* to immerse
под +*acc* under, by, up to
  под +*inst* beneath, under, by, near
подава́ть, пода́ть *pfv* to give
  подава́ть го́лос to speak up
подари́ть *pfv* to present, give
пода́рок gift, present
пода́ться *pfv* to lean
подбега́ть, подбежа́ть *pfv* to run up to
подборо́док chin
подбро́сить *pfv* to toss up
подверну́ть *pfv* to tuck in
подвижно́й mobile, lively, agile
подвози́ть to bring

подвыва́ть to howl
подвя́зка garter
подгова́ривать to incite, talk into
поддёвка man's long-waisted coat
поддра́знивать to tease
поджа́ть *pfv* to pull up
   поджа́ть но́ги to curl up
подзе́мный subterranean, underground
поди́ *col* go!; "I dare say"
подки́нуть *pfv* to throw into the air
подко́ва horseshoe
подкра́сить *pfv* to put on make-up
по́дле +*gen* near
подле́ц scoundrel, cad
подложи́ть *pfv* to put under
подмыва́ть to erode
поднима́ть, подня́ть *pfv* to lift, raise up
поднима́ться, подня́ться *pfv* to ascend,
   rise
подоба́ть to become, befit
подобре́ть *pfv* to become kind
подозрева́ть to suspect
подойти́ *pfv* to approach, come
подоко́нник windowsill
подо́л skirt, hem of a skirt
подо́шва foot (of a mountain)
подпере́ться *pfv* to support oneself
подпира́ть to support
подползти́ *pfv* to crawl up to
подпры́гнуть *pfv* to jump up
подрасти́ *pfv* to grow up
подру́га girlfriend
подсказа́ть *pfv* to prompt
подска́кивать to jump up
подста́вка stand
подстрели́ть *pfv* to shoot down
подступи́ть *pfv* to approach, come up to
поду́мать *pfv* to think
поду́шечка *dim* pillow
поду́шка pillow
подходи́ть, подойти́ *pfv* to approach
подходя́щий appropriate, suitable
подшта́нники *pl only* drawers, under-
   pants
подъе́зд porch, entrance
подъезжа́ть to approach, drive up to
по́езд train
поезжа́й(те) *imp for* е́хать, пое́хать
пое́хать *pfv* to drive, go
пожа́луйста please
пожа́р fire
пожа́ть *pfv* to shrug
пожи́зненный lifelong
пожима́ться to shiver

по́за pose
позабы́ть *pfv* to forget
позади́ +*gen* behind
позва́ть *pfv* to call
позво́лить *pfv* to allow
позвоно́чник backbone, spine
позвя́кивать to tinkle
по́здний late
позо́р disgrace, shame
поигрывать to play a bit
пои́ть to water, give a drink
пойма́ть *pfv of* лови́ть to catch
пойти́ *pfv* to go, walk
пока́ while
показа́ть *pfv* to show
показа́ться *pfv* to seem, appear
пока́мест *col* while
покати́ть *pfv col* to take off (for)
покати́ться *pfv* to slip, slide
пока́тость slope, incline
пока́тый sloping, slanting
пока́чивать, покача́ть *pfv* to shake
пока́чиваться to rock, sway
поклони́ться *pfv* to bow, greet
поко́иться to rest
поко́й rest, peace
поко́йник deceased, dead man
поко́рный obedient, submissive
покро́в cover
покрови́тельственный protective, patron-
   izing, condescending
покрыва́ть, покры́ть *pfv* to cover
покры́ться *pfv* to be covered
покря́кивать to grunt; to quack
поку́пка purchase
поку́шать *pfv* to eat
пол floor
пола́ bottom (of shirt); flap; skirt
полго́да half a year
по́лдень *m* midday, noon
полдне́вный noon's, midday
полдю́жины half a dozen
по́ле field
полежа́ть *pfv* to lie for a while
поле́зный useful
поле́зть *pfv* to climb
полете́ть *pfv* to fly
полёт flight
по́лзать *indet* to crawl
ползти́, поползти́ *pfv det* to crawl
поли́ть *pfv* to pour over
полице́йский policeman
поли́ция police
по́лка berth, bench, shelf; pan (of a gun)

полнолу́ние full moon
полнолу́нный full-moon
по́лный full, complete
полови́на half
положе́ние (good) position, situation
поло́жим "let us assume"
положи́ть *pfv* to place, put
полоса́тый striped
полоска́ться to flap
полтора́ one and a half
полуме́сяц half-moon, crescent
полунаго́й half-naked
полусо́нный half-asleep
полуста́нок halt, small station
получа́ться, получи́ться *pfv* to turn out to be
получи́ть *pfv* to receive, get
полуша́рие hemisphere
полчаса́ a half hour
полы́нный wormwood
полюби́ть *pfv* to fall in love with, grow fond of
поля́нка clearing
помани́ть *pfv* to beckon
поме́ха hindrance, obstacle
помечта́ть *pfv* to dream, muse
помеша́ть *pfv* to interfere, hinder
поми́луй have mercy!
поми́мо +*gen* apart from
помину́тный every minute
помира́ть, помере́ть *pfv col* to die
по́мнится *impers* I seem to remember
по́мнить *pfv* to remember, keep in mind
помога́ть, помо́чь *pfv* to help
помолча́ть *pfv* to be silent
помо́рщиться *pfv* to make a wry face, wince
помота́ть *pfv trans* to shake, wave
помо́щник assistant
по́мощь assistance, help
по́мысел thought
помя́ть *pfv* to flatten out
понево́ле willy-nilly; against one's will
понести́ *pfv* to carry; to bolt
понести́сь *pfv* to rush off, dash along
поникнуть *pfv* to droop, wilt, hang
понима́ть, поня́ть *pfv* to understand
понра́виться *pfv* to be pleasing
пону́риться *pfv* to be downcast, hang one's head
поотдохну́ть *pfv* to rest for a while
поощря́ть to encourage
поп *col* priest

попада́ться, попа́сться *pfv* to come across, run into
попа́сть *pfv* to find oneself, get to
попи́ть *pfv* to have a drink
поплы́ть *pfv* to swim, float
поползти́ *pfv* to crawl
поправля́ть, попра́вить *pfv* to correct, adjust
попре́жнему as before
попроси́ть *pfv* to ask, beg
пора́ time, it is time
порази́ть *pfv* to astound; to strike
поро́г threshold
поро́да breed, species, kind
порождённый engendered
поро́к vice
по́рох gunpowder
порта́л portal
портсига́р cigarette case
поря́док order
поря́дочный decent, honest, respectable
посади́ть *pfv* to seat, place
поса́пывание sniffling
поса́пывать to sniffle
поса́сывать to suck
посвеже́е a little fresher
посви́стывать to whistle
поседе́ть *pfv* to turn grey
посеща́ть, посети́ть *pfv* to visit
посиде́ть *pfv* to sit for a while
поскоре́й somewhat quicker
посла́ть *pfv* to send
по́сле +*gen* after
после́дний last, final
послужи́ть *pfv* to serve
послу́шать *pfv* to listen
послы́шаться *pfv* to be heard; to seem to hear
посмотре́ть *pfv* to look, glance
поспева́ть *col* to be in time
поспе́шный hurried, prompt
посреди́ +*gen* in the middle
посреди́не +*gen* in the middle
пост post (military)
поста́вить *pfv* to place, put
по-ста́рому as before
посте́ль bed
пости́гнуть *pfv* to perceive, comprehend
посторо́нний outsider, stranger
постоя́лец inn guest
постоя́лый двор inn
постоя́ть *pfv* to stand
постро́ить *pfv* to build, construct
посту́кивать to tap

посту́пок deed, action
посыла́ть, посла́ть *pfv* to send
посы́пать *pfv* to scatter
потащи́ть *pfv* to drag
потеря́ть *pfv* to lose
поте́ть to perspire
потёмки *pl only* darkness
по́тный perspiring, sweaty
пото́к stream
потоло́к ceiling
пото́м then, afterwards
пото́мок descendant, offspring
потому́ because, for, as
потре́бовать *pfv* to demand
потре́боваться *pfv* to be necessary
потре́скивать to crackle
потрясти́ *pfv trans* to shake
поту́пить *pfv* to lower
потуха́ть, поту́хнуть *pfv* to die down (of fire)
потуши́ть *pfv* to extinguish
потяну́ть *pfv* to pull
потяну́ться *pfv* to stretch
поутру́ in the morning
похище́ние abduction
похо́д march
походи́ть to resemble
походи́ть *pfv* to walk for a while
похо́жий similar, looking like
похорони́ть *pfv* to bury
по́хороны *pl only* funeral
по-хоро́шему "for the best"
поцелова́ть *pfv* to kiss
поцелу́й kiss
по́чва soil
почему́ why
почему́-то for some reason
почерне́ть *pfv* to grow black
по́честь honor
почёсывать to scratch
по́чка bud
по́чта post, mail
почтальо́н postman
почте́ние respect, deference
почте́нный honorable
почти́ almost
почто́вый post, postal
почу́вствовать *pfv* to feel
пошевели́ть *pfv trans* to wiggle
пошевельну́ться *pfv* to stir oneself
поэ́т poet
поэ́тому therefore
появля́ться, появи́ться *pfv* to appear
по́яс belt, waist

пра́вда truth, it is true
праве́й more to the right
пра́вильный correct, regular
пра́вить to steer, drive, direct
пра́во right, claim
пра́вый correct, right
пра́дед great-grandfather, forefather
пра́здник holiday
пра́здный idle
пра́чка washerwoman
пребыва́ние sojourn
превраща́ть, преврати́ть *pfv* to transform
превраща́ться, преврати́ться *pfv* to turn into, be transformed
превраще́ние transformation, conversion
преглу́пый extremely stupid
прегражда́ть to obstruct, bar
пред (пе́ред) +*instr* before, in front of
преда́ние legend, tradition
пре́данность devotion
преда́ться *pfv* to submit, give oneself
преддве́рие gateway, threshold
предложе́ние proposition
предме́т object
пре́док forefather, ancestor
предостереже́ние warning
предписа́ние regulation
предполага́ть to assume, suppose
представля́ть, предста́вить *pfv* to present, introduce
  представля́ть себе́ to imagine
предстоя́ть to stand before, be in prospect
предупреди́ть *pfv* to anticipate, forestall, warn
пре́жде earlier, before, sooner
пре́жний former
преиму́щество advantage, preference
прекра́сный beautiful, fine
прекраща́ться to stop, cease, end
преле́стный charming, delightful
пре́лесть charm, fascination
преоблада́ть to predominate
препроти́вный extremely repulsive
прерва́ть *pfv* to interrupt, cut in
пре́сный insipid, flat
престу́пник criminal
престу́пный criminal
при +*loc* in the time, in the reign of, under; in the presence of, with, by
приба́вить to add
приби́ть *pfv* to nail
приближа́ться to approach
приближе́ние approach

приблизи́тельный approximate
приблу́дный stray
прибо́й high tide; surf, breakers
прибре́жный coastal
прибы́ть *pfv* to arrive
привезти́ *pfv* to bring
приве́т greetings
приве́тливый friendly, "inviting"
приве́тствие greeting, salutation
привлека́ть to attract
приводи́ть, привести́ *pfv* to bring, lead
приво́льный free, wide-open
привстава́ть, привста́ть *pfv* to rise up
привы́кнуть *pfv* to become accustomed
привяза́ть *pfv* to tie to
привяза́ться *pfv* to attach oneself
пригляде́ть *pfv* to have an eye on
пригоди́ться *pfv* to prove useful, come in handy
прида́ное dowry
придво́рный court
приду́мывать, приду́мать *pfv* to devise, think of
приезжа́ть, прие́хать *pfv* to arrive
прие́м device
прие́мщик receptionist
при́зма prism
призна́ться *pfv* to admit
при́зрачный spectral, unreal
призыва́ть to call, summon
прийти́ *pfv* to come
прийти́сь *pfv impers* to be necessary
приказа́ние order, command
прика́зчик shop assistant
прика́зывать, приказа́ть *pfv* to order, command
приключе́ние adventure
прила́вок counter
приласка́ть *pfv* to caress, be nice to
прилета́ть, прилете́ть *pfv* to come flying
примани́ть *pfv* to entice, lure, attract
прима́нка wile, bait
приме́р example
приме́та sign, mark
примёрзлый frozen
принадлежа́ть to belong
приноси́ть, принести́ *pfv* to bring
прину́дить *pfv* to compel, force
принц prince
приня́ть *pfv* to accept
приня́ться *pfv* to begin to
приобрета́ть to acquire
приобрете́ние acquisition
приоткры́ть *pfv* to open slightly

припада́ть на́ ногу *col* to have a lame foot
припа́сы *pl* stores, supplies
приплыва́ть to come by swimming
приподня́ть *pfv* to lift, raise slightly
приподня́ться *pfv* to raise oneself slightly
приправля́ть to season, embellish
приро́да nature
приручи́ть *pfv* to tame, domesticate
прискака́ть *pfv* to come galloping; to come tearing along
прислу́живать to wait on
прислу́шиваться to listen attentively
присни́ться *pfv* to appear in a dream
присоединя́ться to join
приставля́ть to attach
при́стань pier
пристяжна́я side horse, outrunner
притаи́ться *pfv* to keep quiet
притво́рный insincere, affected
притупля́ться to become blunt, dulled
притяже́ние gravity
прихло́пнуть *pfv* to slam down
прихо́д arrival
приходи́ть, прийти́ *pfv* to arrive, come
приходи́ться, прийти́сь *pfv impers* to be necessary
причеса́ть *pfv* to comb
причи́на cause, reason
причу́да whim, fancy
прищёлкивать to snap
прия́тель *m* friend, pal
прия́тный pleasant
про + *acc* about, concerning
пробежа́ть *pfv* to run past, through
проби́ть *pfv trans* to strike
прове́ять *pfv* to waft
проводи́ть, провести́ *pfv* to install, lay out; to lead; to run over; to cheat, trick
проводни́к train attendant
провожа́ть, проводи́ть *pfv* to accompany, escort
проговори́ть *pfv* to say, utter
прогу́ливаться to take a stroll
продемонстри́ровать *pfv* to demonstrate
продолжа́ть to continue
продыря́вить *pfv* to make a hole, pierce
проезжа́ть, прое́хать *pfv* to drive through, past
прое́зжий traveler
прожда́ть *pfv* to wait for
прожи́ть *pfv* to live
прозва́ть *pfv* to nickname
про́звище nickname

прозвуча́ть *pfv* to sound
прозвя́кать *pfv* to tinkle
прозева́ть *pfv* to miss
прозра́чный transparent
произведе́ние creation, work
произвести́ *pfv* to produce
произноси́ть to pronounce
происходи́ть, произойти́ *pfv* to happen, take place; to arise, come from
происше́ствие incident, event, happening
пройти́ *pfv* to walk through, pass
пройти́сь *pfv* to take a stroll
прока́зить to play pranks
проки́сший sour
прокля́тый damned
пролега́ть to lie; to run
пролежа́ть *pfv* to lie
пролепета́ть *pfv* to mutter
проли́ть *pfv* to spill
промо́ина gully
пронести́сь *pfv* to sweep past, fly by
пронзи́тельный piercing
пропада́ть, пропа́сть *pfv* to be lost, disappear, perish
про́пасть precipice, abyss
проповеда́ние teaching, preaching
пропусти́ть *pfv* to miss; to let through
просвеще́ние education, enlightenment
про́сека cleared passage
проси́ть, попроси́ть *pfv* to ask, beg
проси́ться to ask permission
просия́ть *pfv* to shine
проскака́ть *pfv* to gallop through
проскочи́ть *pfv* to rush by
просну́ться *pfv* to awaken, wake up
прости́ть *pfv* to forgive
прости́ться *pfv* to part, say good-by
просто́й simple
просто́р expanse, open space
просто́рный spacious, roomy
простра́нство space
простыня́ sheet
протека́ть to flow through
протестова́ть to protest
про́тив +*gen* against, opposite
проти́вный offensive
противоесте́ственный unnatural
противополо́жный opposite
проти́ву *arch for* про́тив
протя́гивать, протяну́ть *pfv* to stretch out
профессиона́льный professional
профе́ссор professor
прохла́дный cool
прохо́д passageway

проходи́ть, пройти́ *pfv* to pass, walk through
про́чий other
  и пр., и проч. etc.
прочь away, be off
прошага́ть *pfv* to stride past
прошепеля́вить *pfv* to lisp
прошепта́ть *pfv* to whisper
про́шлый past
проясня́ть to clear up
пруд pond
прудо́к *dim* pond
пру́тик *dim* twig, switch
пры́гать, пры́гнуть *pfv* to jump
прямо́й straight, direct
пря́мо-таки really
пря́ник cookie, gingerbread
пря́таться to hide
пси́ный dog's
пти́ца bird
пти́чий bird's, bird-like
пуга́ть, испуга́ть *pfv* to frighten
пуга́ться, испуга́ться *pfv* to be frightened
пу́говица button
пуза́стый (*col for* пуза́тый) potbellied
пу́ля bullet
пункти́р dotted line
пурпу́рный purple
пуска́ть to allow, let go, let pass
пуска́ться, пусти́ться *pfv* to set out, start
пусто́й empty
пустота́ emptiness, "gap"
пусты́нный deserted
пусть +*third person* let
пустя́к trifle
пу́таница confusion, muddle
пу́таться to be confused
путеше́ственник traveler
путеше́ствие journey
путеше́ствовать to travel
путём by means of
пу́тный *col* sensible
путь *m* way, path, journey
пух down, fluff
пу́хлость plumpness
пу́шка cannon
пу́ще *col* more
пыль dust
пы́льный dusty
пыхну́ть *pfv col* to flare up
пьедеста́л pedestal
пье́са play
пья́ный drunk, intoxicated
пята́ heel

пятисажённый five-sazhen (sazhen = 2,134 meters)
пятнáдцать fifteen
пятнúстый spotted
пятнó spot
пять five
пятьсóт five hundred

Р р

рабóта work
рабóтать to work
рабóтник worker
работáщий industrious
равнúна plain
равновéсие balance, equilibrium
равнодýшный indifferent
рáвный equal
  всё равнó still, all the same
рагý ragout, stew
рад glad
рáдоваться, обрáдоваться *pfv* to be glad, enjoy
рáдостный joyful
рáдость joy, gladness
рáдужная оболóчка iris (of the eye)
раз time, occasion
разбегáться to run up before jumping
разбúть *pfv* to break, smash
разбóйник robber, bandit
разболéться *pfv* to ache, fall ill
разбранúть *pfv* to give a sharp scolding
разбрúзгать *pfv* to splash, spray
разбудúть *pfv* to awaken, arouse
развáлина ruin
рáзве really
развестú огóнь *pfv* to kindle a fire
развивáться to develop, unfold
развязáть *pfv* to untie
развязка dénouement
разговáривать to converse
разговóр conversation
разговорúться *pfv* to get into conversation
разгорáться to flame up
раздавáться, раздáться *pfv* to sound, resound
раздвигáть, раздвúнуть *pfv* to move apart
раздéльный distinct
раздéтый undressed
раздéться *pfv* to undress
раздирáющий heart-rending
раздражéние irritation
раздражённый angry

раздýмывать to ponder, muse
разжевáть *pfv* to chew up
разúня *col* gawker
разливáться, разлúться *pfv* to overflow
различáть, различúть *pfv* to distinguish, make out
разломáть *pfv* to break up
разлýка parting, separation
разлюбúть *pfv* to stop loving
размáшистый sweeping
разнéжиться *pfv* to grow soft
разнообрáзный diverse, various
разноцвéтный varicolored, motley
рáзный various, different
разобрáть *pfv* to make out
разогрéть *pfv* to warm up
разорвáть *pfv* to tear apart
разорúть *pfv* to destroy, raze
разорúться *pfv* to ruin oneself
разрабóтывать (*arch for* разрабáтывать) to work on
разрешáть to solve
разрешéние solution
разрешúть *pfv* to permit, allow
разрывáть to dig up
разъéзд: в разъéздах on the road
разъезжáть to drive around
разъезжáться to drive off in different directions
рай paradise
рáковина sink, washbasin
рáма frame, framework
рáмки limits
рáна wound
рáнний early
рáньше earlier, before
расквáсить *pfv* to squash
раскúнуть *pfv trans* to spread
раскорякой with arms and legs outstretched
раскрúть *pfv trans* to open up
раскýривать to light up
распахнýть *pfv* to throw open
расписáться *pfv* to sign
расплатúться *pfv* to settle an account, pay
распоряжáться to give orders; to dispose
распростúться *pfv* to take leave
распрощáться *pfv* to take leave
рáспря discord, struggle
рассвéт dawn
рассвирепéть *pfv* to become violent
рассéлина cleft
рассердúться *pfv* to become angry

рассерча́ть *col* to get angry
рассе́чь *pfv* to sever
рассе́янный absentminded
рассе́яться *pfv* to disperse
расска́з story, tale
рассказа́ть *pfv* to tell, relate
расска́зик *dim* story
расска́зчик storyteller, narrator
рассл́ышать *pfv* to make out, catch
рассмотре́ть *pfv* to examine, have a good
    look
расста́вить *pfv* to spread, place apart
расста́ться *pfv* to part
расстегну́ть *pfv* to unbutton
расстоя́ние distance
раствори́ть *pfv* to open
растека́ться to flow, spread
расти́ to grow
растоп́ырить *pfv* to spread out
растрепа́ть *pfv* to wear out, tatter
растяну́ть *pfv* to stretch, pull open
растяну́ться *pfv* to stretch out
расцара́пать *pfv* to scratch all over
рвану́ть *pfv* to jerk
реа́льность reality, actuality
ребёнок baby, child
ребя́та kids
револьве́р revolver
ре́дкий sparse, rare
режиссёр (film) director
резви́ться to frisk about
ре́звый nimble, frisky
ре́зкий sharp
река́ river
ремешо́к *dim* strap, tong
речь speech
решётка bars, grating
реши́ть *pfv* to decide
рёв roar, howl
ржа́вый rusty
риско́ванный risky
рисова́ться to be outlined, loom
ро́бкий shy, bashful
ров moat
ро́вный even, exact
рога́тый horned
род lineage
роди́мый native
ро́дина homeland
ро́динка birthmark
роди́ться *pfv* to be born
ро́дственник relative
ро́дственный kindred, familiar
ро́жа *col* mug, kisser

Рождество́ Christmas
ро́за rose
розова́тый pinkish
ро́зовый pink
рома́н novel
ропта́ние murmuring
ро́скошь luxury
рост height
рот mouth
ро́ща grove
роя́ль *m* piano
руба́ха shirt
рубль *m* ruble
руга́тельство curse
руга́ть to scold
ружьё rifle
рука́ hand, arm
рука́в sleeve
румя́нец blush, rosy cheek
ру́сло channel, river bed
ру́сский Russian
руче́й brook
ручни́к (*col for* рушни́к) handtowel
ры́ба fish
рыба́к fisherman
рыба́чий fisherman's
рыда́ние sobbing
рыда́ть to sob
ры́жий reddish-brown
рык growl
рыть to dig
ры́царство chivalry
рыча́ть to growl
рю́мка wine glass
ряби́ть to ripple, flicker
рябо́й pock-marked
ряд row, series
ря́дом next to, near, beside

С с

с, со +*gen* from, since; down
  с, со +*inst* with; to; from
са́бля saber
сава́нна savannah
сад garden, orchard
сади́ться, сесть *pfv* to sit down, sit, get
    on; to settle
сажа́ть to put, place, seat
са́кля Caucasian hut
сала́т salad, lettuce
са́ло bacon, grease
сало́н salon
сам, сама́, само́, са́ми oneself
самова́р samovar

са́мый same, very, the most
сапо́г boot
саркофа́г sarcophagus
сатана́ Satan, the devil
сбе́гать *pfv* to run and fetch
сбива́ть, сбить *pfv* to knock down
  сбива́ть с пути́ to lead astray
сбира́ть *trans* to gather
сбли́зиться *pfv* to draw together, become
  friends
сбо́ку on the side
сбо́рный assembly, rallying
сбра́сывать to throw off
свали́ться *pfv* to fall off
све́жий fresh
сверкну́ть *pfv* to flash
сверну́ть *pfv* to turn
  сверну́ть ше́ю to break one's neck
сверну́ться *pfv* to curl up
сверх +*gen* beyond, above
свести́ *pfv* to bring together
свет light, world
света́ть to grow light
свети́ться *pfv* to shine
све́тлый light, lighted, bright
светля́к firefly
свеча́ candle
све́чка candle
свида́ние meeting, rendezvous
свиде́тель *m* witness
свиде́тельство testimony
свиде́тельствовать to bear witness
свине́ц lead
свинья́ pig, swine
свиса́ть to hang down, dangle
свисте́ть to whistle
свобо́дный free
сво́йственный peculiar
сво́лочь bastard
связь connection, tie, relation
связа́ть *pfv* to connect, tie together, tie up
святи́лище sanctuary
сгиба́ть to bend
сгоре́ть *pfv* to burn
сгуща́ться to thicken, become dense
сдви́нуть *pfv* to move
сде́лать *pfv* to make, do
сде́латься *pfv* to become
сде́рживать to contain, restrain
сдуть *pfv* to blow off, blow away
се́вер north
сего́дня today
седо́й grey
сей *arch m* this

сейча́с now, immediately
секрета́рь *m* secretary
секу́нда second
селе́ние settlement
семь seven
семья́ family
се́ни entrance hall, porch
сентя́брь *m* September
серде́чный cordial, affectionate
серди́тый angry
серди́ться to be angry
се́рдце heart
сердцеви́на heart, core
сере́бряный silvery, silver
се́рный sulfurous
се́рый grey, dull
серогла́зый grey-eyed
серп crescent
сестра́ sister
сесть *pfv of* сади́ться to sit, sit down; to
  settle
сеть net
сжа́рить *pfv* to fry
сжа́тость conciseness
сжать *pfv* to press, squeeze
сза́ди from behind, behind
сиде́нье seat
сиде́ть to sit, be sitting
сие́ *arch n* this
си́живать *col* used to sit
си́зый grey-blue
сий *arch pl* these
си́ла strength, force
силуэ́т silhouette
си́льный strong, powerful
синева́тый bluish
синегла́зый blue-eyed
сине́ть to show blue
си́ний dark blue
сирота́ orphan
си́тец cotton print
сия́ние radiance
сия́ть to shine
сказа́ть *pfv of* говори́ть to say, tell, speak
ска́зка tale, story
ска́зочно fairy-like
скака́ть to gallop, jump
скала́ rock, cliff
скаме́йка bench
скамья́ bench
скат slope
скачо́к leap, jump
сквози́ть to be seen through, visible
сквозня́к draught

сквозь + *acc* through
скворе́ц starling
скита́ться to wander
склеп vault, crypt
склоне́ние *arch* slope
склони́ть *pfv* to incline, bend
склони́ться *pfv* to incline, bend over
сколопе́ндра scolopendra (a large centipede)
ско́льзкий slippery
скользну́ть *pfv* to slip, slide
   скользну́ть глаза́ми to run one's eyes
ско́лько how much, how many
сконфу́зиться *pfv* to become confused, embarrassed
сконча́ться *pfv* to pass away, die
ско́ро soon, quickly, fast
ско́рость speed
скоси́ть глаза́ *pfv* to look askance
ско́тный cattle
скрипа́ч violinist, fiddler
скрипи́чный ключ treble clef
скро́мный modest
скрыва́ться to hide oneself
скрып (*arch for* скрип) squeak, creak
скрыть *pfv* to hide, conceal
скуча́ть to miss, be bored
ску́чный boring
сла́бый weak
сла́ва glory, fame
славолюби́вый vainglorious
сла́дкий sweet
сла́достный sweet, delightful
слать to send
слегка́ slightly, somewhat
след trace, footprint
сле́довать to follow
сле́дом in the wake
слеза́ tear
сле́пнуть to go blind
слепо́й blind
слете́ть *pfv* to fly off, fly down
сли́ться *pfv* to merge
сли́шком too, too much
сло́вно as if, like
сло́во word
сложи́ть *pfv* to pack
слоня́ться *col* to idle, loiter
служи́тель *m* servant
служи́ть to serve
слух hearing; rumor, word, news
слу́чай instance, happening; chance
случа́йность chance occurrence, accidental nature

случа́йный accidental, chance
случа́ться, случи́ться *pfv* to happen
слу́шать to listen, obey
слыха́ть, услыха́ть *pfv past tense only* to hear
слы́шать, услы́шать *pfv* to hear
слы́шаться to be heard, felt
слы́шный audible
сме́лый bold, courageous, daring
смени́ться *pfv* to be replaced
смерка́ться to grow dark
сметь to dare
смех laughter
смеша́ться *pfv* to merge, mix
смешно́й funny, amusing
смея́ться to laugh
смири́ть *pfv* to subdue, restrain, pacify
сми́рный quiet, peaceful
смотре́ть, посмотре́ть *pfv* to look
сму́глый swarthy, dark-complexioned
смути́ться *pfv* to be confused, embarrassed
снабди́ть *pfv* to provide, furnish, supply
снача́ла at first, from the beginning
снег snow
снегово́й snow-covered
сне́жный snowy
снести́ *pfv* to carry
сни́ться, присни́ться *pfv* to appear in a dream
сно́ва again
снять *pfv trans* to take off
сня́ться *pfv* to take off
соба́ка dog
соба́чий dog, dog's
собесе́дник interlocutor
собира́ть, собра́ть *pfv* to collect, gather
собира́ться, собра́ться *pfv* to plan, get ready; to be collected
соблазни́тель *m* tempter, seducer
со́бственный own
собы́тие event
сова́ться *col* to butt in
соверше́нный entire, complete, perfect
со́вестно: мне со́вестно I am ashamed
сове́т advice
сове́товать to advise
совсе́м completely, quite, entirely
согла́сие agreement, consent
согласи́ться *pfv* to agree, consent
согла́сный agreeable, willing
со́гнутость bent-over position
содержа́ние content
соедини́ться *pfv* to unite

сожале́ние   regret, pity
созве́здие   constellation
создава́ть, созда́ть *pfv*   to create
сойти́ *pfv*   to descend, walk down
  сойти́ с ума́   to go mad
сок   juice
сокры́тый   hidden, concealed
солда́т   soldier
солда́тка   soldier's wife
солёный   salty
со́лнечный   sunny
со́лнце   sun
со́лнышко *dim*   sun
соло́менный   straw
сон   sleep, dream
со́нный   sleepy, drowsy
сообра́зный   conformable
сообщи́ть *pfv*   to communicate, report, inform
сообщи́ться *pfv*   to be communicated
сопля́к *col*   snot-nosed kid
сорва́ть *pfv*   to tear away
со́рок   forty
соро́чка   chemise
соса́ть   to suck
сосе́д   neighbor
сосе́дний   neighboring
сосе́дство   vicinity, neighborhood
соскочи́ть *pfv*   to jump off
соску́читься *pfv*   to become lonesome
сосо́к   nipple
соста́реться *pfv arch*   to grow old
состоя́ние   state, condition
состоя́ть   to comprise, consist
сохраня́ть, сохрани́ть *pfv*   to keep, preserve
спа́льный   sleeping
спаси́бо   thanks
спать   to sleep
  ей не спало́сь   she could not sleep
сперва́   at first
спеть *pfv*   to sing
спе́шиться *pfv*   to dismount
спина́   back
спи́сок   list, copy
спи́чка   match
сплета́ться   to intertwine
сплете́ние   intertwining
споко́йный   calm, peaceful
спо́соб   means, manner
спосо́бный   able, capable; *col* fitting, comfortable
споткну́ться *pfv*   to stumble
спра́ва   from the right, on the right

спра́шивать, спроси́ть *pfv*   to ask, inquire
спря́таться *pfv*   to conceal oneself
спуска́ться, спусти́ться *pfv*   to descend, walk down
спусти́ть *pfv*   to lower
спу́тник   traveling companion
сравни́ть *pfv*   to compare
сра́зу   at once, immediately
среди́, средь +*gen*   in the middle
сре́дство   means, remedy
срок   term, period
ссади́ть *pfv*   to whack
ста́вить, поста́вить *pfv*   to place, prepare; to bet
ста́вня   shutter
ста́до   herd
стака́н   glass
станови́ться, стать *pfv*   to become, start; to stand, take one's stand
ста́нция   station
стара́ться   to try, seek
ста́ренький *dim*   old
стари́к   old man
старина́   olden times, antiquity
стари́нный   ancient, age-old
старичо́к *dim*   old man
стару́ха   old woman
стару́шка *dim*   old woman
ста́рый   old
статисти́ческий   statistical
ста́туя   statue
ста́ться: мо́жет ста́ться   it is possible
ста́я   flock
ствол   trunk
сте́бель *m*   stem, stalk
стека́ть   to flow down
стекло́   glass, pane
стели́ть   to spread
стена́   wall
сте́нка *dim*   wall
степе́нность   sedateness
степь   steppe
стере́чь   to watch over
стесни́ть *pfv*   to restrain, hamper
сти́снуть *pfv*   to squeeze
стих   verse
сто   hundred
сто́ить   to be worth, cost
стокра́т   a hundred times
столб   column, post
столи́ца   capital
столо́вая   dining room
столпи́ться *pfv*   to crowd

столь *arch* such, as
стонáть to moan
сторонá side; region
стошнúть *pfv impers* to vomit
стоя́ть to stand
страдáть to suffer
стрáжа guarding
странá country
стрáнный strange
стрáстный passionate
страх fear, fright
страшúться to be afraid
стрáшный frightful, fearful, dreadful
стрекозá dragonfly
стреля́ть, вы́стрелить *pfv* to shoot, fire
стремúтельный swift, headlong, impetuous
стремúться to strive
стрóгий strict, severe
стрóить, построúть *pfv* to build
стрóйный stately, graceful
струя́ stream
студéнт student
стук knock, rattle
стýкаться to knock oneself against
стукотня́ clatter
ступáть to step
ступéнька step
ступня́ foot
стучáть to knock, stomp; to rattle
стыд shame
сты́дно: мне сты́дно I am ashamed
сты́чка skirmish
стя́гивать, стяну́ть *pfv* to pull together, tighten, gather
суббóта Saturday
суббóтний Saturday
суд judgment
судúть to judge
сýдорога convulsion
сýдорожный convulsive
судьбá fate, destiny, lot, life
сýзиться *pfv* to narrow
сук (*pl* сýчья) twig
сукнó broadcloth
сýмерки *pl only* twilight
сýмрак dusk
суп soup
сурóвый severe, stern
сустáвчатый jointed
сутáна soutane
сýтки *pl only* twenty-four hours
суть are
сухóй dry, lean

сушúть to dry
существó being, creature
существовáние existence
существовáть to exist
сфéра sphere
схватúть *pfv* to seize, gather, grip, catch
сходúть, сойтú *pfv* to descend, walk down
схóдство similarity, resemblance
сцáпать *pfv col* to catch hold of
счастлúвый happy
счáстье happiness, luck
считáть, счесть *pfv* to count, figure; to consider
счищáть, счúстить *pfv* to clean off
съесть *pfv* to eat
съéздить *pfv* to go and come back
съезжáться to converge; to assemble
съéхать *pfv* to come down
сы́змальства *col* from childhood
сын son
сырóй damp, raw, uncooked
сы́рость dampness
сы́тый satisfied, replete
сы́щик detective
сюдá here, to this place

Т т

табýн drove, herd
тавéрна tavern
таúнственный mysterious
тáйный secret
так so, how, like that, then
  тáк же just as (so), in the same way
  тáк как since, as
такóй, таковóй such, of such a kind
  такóй же just such
талáнтливый talented
там there
тангá *arch* (*usually* тамгá) brand, mark, symbol
тарантáс tarantass (a springless carriage)
тарéлка plate
татáрин Tatar
татáрский Tatar
тащúть, потащúть *pfv* to drag, pull
твёрдо firmly
  твёрдо пóмнить to remember well
творéние creation
творúть to create
телéга cart, wagon
тéло body
телодвижéние (bodily) movement, gesture

тема theme, subject
темнеть to grow dark, look dark
темнота darkness
темя *n* crown of the head
тендер tender
тенистый shadowy
тень shadow
теперь now
тепло warmth
терзать to torment, torture
терпение patience
терраса terrace
терять, потерять *pfv* to lose
тесниться to crowd
теснота closeness, narrowness
тесный crowded
тесто dough
течение current, course
течь to flow
тёмный dark
тёплый warm
тётка aunt
тигр tiger
тискать to squeeze
тихий quiet, low, calm
тихомолком *col* on the quiet
тихонько *dim col* quietly, gently
тишина silence, stillness
ткань cloth, fabric
то *adv* then, in that case
  то и дело now and then
  то . . . то first . . . then; now . . . now
товар goods
товарный freight
тогда then, at that time
тоже also
толкнуть *pfv* to push, nudge, jog
толковать to talk, discuss
толпа crowd, throng
толпиться to throng, cluster
толстенький *dim* plump, stoutish
толстовка man's long belted blouse
толстый thick, heavy, fat
только only, merely
  как только as soon as
  только что just, only
томиться to pine, languish, fret
томный languid
тон tone
тонкий thin, fine, slender; subtle; high-pitched
топаз topaz
топать to stamp, tramp
топить to stoke (a stove)

топка heating, "fire"
торговец merchant, dealer
торговля trade
торопливый hurried
торчать *col* to protrude; to bristle, stand on end
торчком *col* on end, erect
тоска grief, melancholy
тоскливый nostalgic, sad, miserable
тосковать to be sad, bored, miserable
тотчас at once, immediately
точиться to trickle
точка point, dot
точно exactly; as if
точь в точь exactly
тощий skinny, scraggy
трава grass
травинка blade of grass
травка *dim* grass
травяной grassy, grass
тракт road, highway
тревога anxiety, alarm
тревожить to disturb, trouble
трепет shudder
треск crackle
трескаться to crackle
третий third
трефовый of clubs (*in cards*)
трещать to crackle; to chirp
три three
тридцать thirty
трико knitted material
трогать, тронуть *pfv* to touch
  трогай *imp* go ahead! be off!
тройка troika (carriage and three horses)
тронуться *pfv* to start, move off
тропинка path
тростник rushes
труба smokestack
трубка pipe
труд labor, work
трудиться to toil, work; to take the trouble
трудный hard, difficult, labored
труп corpse
тряский bumpy
трястись to shake; *col* to be jolted
тугой на ухо *col* hard of hearing
туда there, thither
туман fog
туманный foggy, misty, hazy
тупой blunt, dull
турецкий Turkish
турист tourist

Ту́рция Turkey
тут here
ту́фля shoe
ту́ча storm cloud
тщесла́виться *arch* to boast, brag
ты́кать to stick
ты́сяча thousand
тюк bundle
тя́жесть weight, heaviness, load
тяжёлый heavy
тяну́ть *col* to swill
тяну́ться to stretch
тя́пнуть *pfv col* to hit; to snatch; to bite

У у

у +*gen* by, near, at, from; in the possession of; at the house of
убега́ть, убежа́ть *pfv* to run away
убеди́ться *pfv* to be convinced, sure
убере́чься *pfv* to guard oneself against
уби́йство murder
уби́йца murderer
уби́ть *pfv* to kill
ублажа́ть *trans* to indulge
убо́рщица cleaning woman
убра́ться *pfv* to tidy up
увели́читься *pfv* to increase, be enlarged
увенча́ть *pfv* to crown
уве́ренный confident, sure
увида́ть *pfv col* to see
уви́деть *pfv* to see
увлека́ться to be carried away
увле́чь *pfv* to fascinate, entice
увы́ alas
увяза́ть to get stuck
угада́ть *pfv* to guess, divine
углубля́ться to go deep into
уго́да: в уго́ду to please
у́гол corner
угоре́лый *col* madman
угрю́мость sullenness, gloominess
угрю́мый sullen, gloomy, morose
удаля́ться to move off
уда́р blow
уда́риться *pfv* to strike, knock
ударя́ть, уда́рить *pfv trans* to strike
уда́ча good fortune, success
удержа́ние containment
уде́рживаться to hold on
удиви́ть *pfv* to surprise, astonish
удивле́ние astonishment, surprise, wonder

удивля́ться, удиви́ться *pfv* to be astonished
удлини́ть *pfv* to elongate
удо́бность amenity
удо́бный comfortable, handy, convenient
удово́льствие pleasure
у́дочка fishing rod
удра́ть *pfv col* to run away, bolt, take to one's heels
удручи́ть *pfv* to depress, dispirit
уезжа́ть, уе́хать *pfv* to drive away, leave
уж, уже́ already, now
  уже́ не no longer
у́жас horror, terror
ужа́сный terrible, horrible
уже́ль (*arch for* **неужéли**) really? is it possible?
у́жин supper
у́жинать to eat supper
у́зкий narrow, tight
узнава́ть, узна́ть *pfv* to recognize; to find out
узо́р design, pattern
узо́рчатый patterned, figured
уйти́ *pfv* to walk away, leave
указа́тельный па́лец index finger
ука́зывать, указа́ть *pfv* to point out, show
укла́дывать, уложи́ть *pfv* to pack, stow
укла́дываться to lie down
укра́дкой on the sly, by stealth
укра́сить *pfv* to adorn, beautify
укроще́ние taming, curbing
укрыва́ться, укры́ться *pfv* to take cover
у́ксус vinegar
укуси́ть *pfv* to bite
улета́ть, улете́ть *pfv* to fly away
у́лица street
улови́ть *pfv* to discern
уложи́ть *pfv* to pack, stow, put
уложи́ться *pfv* to fit
улыба́ться, улыбну́ться *pfv* to smile
улы́бка smile
ум mind
уме́ние ability, skill, knack
уме́ть to know how
умили́тельный touching
умира́ть, умере́ть *pfv* to die
у́мный intelligent
умча́ть *pfv* to whirl away, carry away
университе́т university
унима́ться to subside, stop
уничто́жить *pfv* to annihilate
уноси́ть, унести́ *pfv* to carry away

уны́лый   sad, cheerless, doleful
упа́сть *pfv*   to fall down
уплыва́ть   to swim away
упои́тельный   ravishing, entrancing
употреби́ть *pfv*   to use
упра́виться *pfv col*   to manage
управля́ющий   manager
упрёк   reproach, rebuke
упря́жка   harness
уро́к   lesson
урони́ть *pfv*   to drop, let fall
уро́чный *arch*   fixed
урча́ть   to grumble, rumble
ус   moustache
усади́ть *pfv*   to seat
уса́дьба   manor house
уса́тый   bewhiskered
усе́ять *pfv*   to stud, dot, strew
усе́яться *pfv*   to be studded
уси́лие   effort
услади́ть *pfv*   to sweeten; *poetic* to delight
усло́вность   conventionality
усло́вный   relative, conventional
услу́га   service
услыха́ть *pfv*   to hear
услы́шать *pfv*   to hear
усме́шка   grin
усмири́ть *pfv*   to pacify
усну́ть *pfv*   to fall asleep
успева́ть, успе́ть *pfv*   to have time
уста́лый   tired
Усти́нья   Ustinya (woman's name)
устра́ивать, устро́ить *pfv*   to arrange, organize
усту́п   ledge, projection
у́стье   mouth of a river
Устю́ша *dim for* Усти́нья
утвержда́ть   to maintain, affirm
утеша́ть   to comfort, console
утёс   cliff, rock
у́тка   duck
утоми́ть   to tire, fatigue
уто́пия   utopia
утра́та   loss
у́тренний   morning
у́тро   morning
уха́бистый   bumpy
ухвати́ться *pfv*   to catch hold of, grasp
ухва́тка *col*   way, manner, knack
ухмыльну́ться *pfv col*   to smirk, grin
у́хо   ear
уходи́ть, уйти́ *pfv*   to leave, walk away
уча́сток   portion, part

уче́бный   school, educational
учёный   scholar; scholarly
учи́ть, научи́ть *pfv*   to teach, instruct
учи́ться, научи́ться *pfv*   to study, learn
учти́вость   courtesy, civility
ушиби́ть *pfv*   to hurt, bruise
ушиби́ться *pfv*   to hurt oneself
ушко́ *dim*   ear
уще́лье   gorge, ravine, canyon

Ф ф

фа́брика   factory
фабри́чный   factory
фанати́зм   fanaticism
фа́ртук   apron
фе́льдшер   doctor's assistant
фе́ска   fez
Фёдор   Theodore
фигу́ра   figure
фи́зик   physicist
фильм   film, movie
фи́льмовый   film, movie
фиоле́товый   violet
фити́ль *m*   wick, fuse
флигельма́н *arch*   right-flank man
фон   background
фона́рь *m*   light, lamp, lantern
фонта́н   fountain
фо́рма   form
фотографи́ческий   photographic
фра́за   phrase, sentence
фрак   tailcoat, dress coat
францу́з   Frenchman
францу́зский   French
фура́жка   service cap, peaked cap
фы́ркать   to snort, sniff

Х х

хала́тик *dim*   dressing gown
хам *col*   cad, boor
хамелео́н   chameleon
харче́вня   inn
хаха́кать   to ha-ha
хвата́ть   to be enough
хва́тка   grasp, grip, clutch, bite
хвать   presto
хво́рост   brushwood
хвост   tail
хи́трый   sly, cunning
хи́щный   predatory, rapacious
хладе́ющий *poetic*   growing cold
хлеб   bread
хлеста́ть, хлестну́ть *pfv*   to lash
хму́рый   gloomy

хны́кать to whimper, complain
ход motion, walking, movement
ходи́ть *indet* to walk, go
хозя́ин master, host
хозя́йка landlady, hostess
хозя́йский landlord's
холм hill
хо́лод cold
холоднова́тый chilly, cool
холо́дный cold, cool
хор choir
хорово́д choral dance
хорони́ть, похорони́ть *pfv* to bury
хороше́нько *col* thoroughly, properly
хоро́ший good, fine, decent
хоте́ть, захоте́ть *pfv* to want, wish; to mean, intend
хоте́ться: мне хоте́лось I felt like
хоть even, if, only, at least
хотя́ although
хохота́ть to laugh, roar with laughter
храм temple
храни́ть to keep guard
храни́тель *m* guardian
храп snore, snoring
храпе́ть to snore
хри́плый hoarse, husky
христиа́нский Christian
Христо́с Christ
хрома́ть to limp
хру́пкий fragile
хруста́льный crystal
хрусте́ть to crunch, crackle
ху́до it's bad, badly
худо́жественный artistic
худоща́вый lean, spare
ху́тор *southern* farm

Ц ц

цап *col* grab!
царе́вич tsarevich, son of the tsar
цари́ца tsaritsa (wife of the tsar or reigning queen or empress)
ца́рствовать to reign
цвет color
цвете́ние flowering
цветни́к flower bed
цветово́й color
цвето́к blossom, flower
цвето́чек *dim* flower
целова́ть, поцелова́ть *pfv* to kiss
це́лый whole, all, entire
це́пкий prehensile; tenacious
цепо́чка chain

цепь chain
це́рковь church
цика́да cicada
цыга́нка gypsy woman
цыга́нкин gypsy's (*f*)

Ч ч

чадра́ Moslem veil
чай tea
ча́йка gull
ча́йник teapot
час hour, time
часте́нько *dim* rather often
ча́сто often
частоко́л paling, fencing
ча́стый frequent, profuse
часть part
ча́ща thicket
челове́к person, man
чемода́н suitcase
черво́нец gold piece
червь *m* worm
че́рез + *acc* through, across
чере́шня cherries, cherry tree
черке́с Circassian (Caucasian tribesman)
черне́ть, почерне́ть *pfv* to show black, darken
че́рпать to scoop up, ladle out
че́стный honest, honorable
четвёртый fourth
четы́ре four
чёрный black
чёрт devil
чёртов devil's
чётки *pl only* rosary
чина́р (*or* чина́ра) plane tree
чи́нно sedately
число́ number
чи́стенький *dim* clean
чи́стить to clean
чистота́ cleanliness
чи́стый clean, pure
чита́тель *m* reader
чита́ть to read
чихи́рь *m* Caucasian wine
член member
чмо́кнуть *pfv col* to smack one's lips
чо́лка bangs
чрез (че́рез) + *acc* through, across
чрезвыча́йно extraordinarily
что what, that, which, why, how
что́бы, чтоб in order to
что́-нибудь anything, something

что́-то something
чу́вство feeling, emotion
чу́вствовать, почу́вствовать *pfv* to feel
чуде́сный wonderful, miraculous
чу́дный wonderful, marvelous, beautiful
чудо́вище monster
чужо́й strange, alien
чума́ plague
чу́ткий sensitive, fine
чуть barely, hardly
чу́ять to smell, scent; to feel

Ш ш

шаг step, pace
шага́ть to step, stride, pace, walk
ша́гом at a walk, at a walking pace
ша́пка cap
ша́почка *dim* little cap
ша́рить to fumble, rummage
шарлата́н charlatan
ша́ткий unsteady, shaky, rickety
ша́шка sabre
шевели́ться, шевельну́ться *pfv* to stir, move
шепта́ть, прошепта́ть *pfv* to whisper
шерсть wool, hair
шерстяно́й woolen
шесто́й sixth
шесть six
шестьдеся́т sixty
ше́я neck
шёлковый silk, silken
шип thorn
шипо́вник sweetbriar
широ́кий wide, broad
шить to sew
шко́ла school
шлагба́ум turnpike, barrier
шлю́ха slut
шля́па hat
шокола́д chocolate
шо́пот whisper
шо́рох rustle
шпа́га sword
штаны́ *pl only* trousers
шум noise, sound
шуме́ть to make noise
шу́мный noisy
шутли́вый jocular

Щ щ

щебета́ть to twitter, chirp

щека́ cheek
щекота́ть to tickle
щель crack, chink, slot
щено́к puppy
щёлкнуть *pfv* to click
щётка brush
щи́колка *col* ankle
щипа́ть to nibble
щит shield
щу́ка pike
щу́рить to squint; to narrow

Э э

э́кий *col* what a . . .
экипа́ж carriage
экле́ктик eclectic
экспре́сс express train
эпизо́д episode
эспадри́лья *Spanish* espadrille
эта́ж floor
э́так *col* so, in this manner, thus
э́то this is, these are
эффе́кт effect

Ю ю

юг south
юдо́ль *arch* vale
ю́жный southern
ю́ность youth
ю́ный youthful, young

Я я

я́блоко apple
я́блоня apple tree
явля́ться, яви́ться *pfv* to appear
я́вный evident, obvious
я́года berry
я́годица buttock
язы́к tongue, language
яи́чница fried eggs
яйцо́ egg
я́ма hole, pit
ямщи́к coachman
я́ркий bright, glaring
я́ростный raging, furious, violent
я́рость violence, fury, rage
я́сный clear, distinct
я́хта yacht
я́щерица lizard
я́щик box, case